1

Wenn die Welt die gewohnten Bahnen verlässt und die Dinge plötzlich auf dem Kopf stehen, dann kann das ziemlich beunruhigend sein. Man kann es aber auch mit Humor nehmen und dem Ganzen eine komische Seite abgewinnen. Die Angelsachsen mit ihrem « sense of humour» tun das ja besonders gerne, und die vorliegenden Geschichten geben dafür gute Beispiele.

Ob sie nun absurd, skurril, surreal oder einfach frech sind, ob sie den Leser mit Situationskomik oder mit Wortwitz erheitern, diese Geschichten bekannter englischer und amerikanischer Autorinnen und Autoren sind auf jeden Fall eines nicht: bierernst. Den einen werden sie zu amüsiertem Schmunzeln bewegen, den anderen zum Lachen bringen, und man müsste schon genauso verkniffen sein wie die eine oder andere Figur in diesem Bändchen, um die Komik nicht zu sehen, die Teil unseres Lebens ist.

Harald Raykowski hat lange Zeit englische und irische Literatur an der Universität Frankfurt unterrichtet und im Laufe der Jahre rund drei Dutzend Werke der englischsprachigen Literatur übersetzt. In der Reihe « dtv zweisprachig» sind ‹Alice in Wonderland. Alice im Wunderland› von Lewis Carroll (dtv 9244) und ‹The Strange Case of Dr. Jekyll and Mr. Hyde. Der seltsame Fall von Dr. Jekyll und Mr. Hyde› von Robert Louis Stevenson (dtv 9200) lieferbar sowie etwa die Anthologien ‹An Arrest. Eine Gefangennahme. Englische Kürzestgeschichten› (dtv 9446) und ‹Simply Love. Einfach Liebe› (dtv 9478).

Funny Stories
Komische Geschichten

Ausgewählt von
Harald Raykowski

Deutscher Taschenbuch Verlag

<u>dtv</u> zweisprachig
Begründet von Kristof Wachinger-Langewiesche

Ausführliche Informationen über
unsere Autoren und Bücher
finden Sie auf unserer Website
<u>www.dtv.de</u>

Originalausgabe 2010
2. Auflage 2011
Deutscher Taschenbuch Verlag GmbH & Co. KG,
München
Die Übersetzung ist urheberrechtlich geschützt.
Sämtliche, auch auszugsweise Verwertungen bleiben vorbehalten.
Umschlagkonzept: Balk & Brumshagen
Umschlagbild: ‹The Art Critic› (Detail, 1955) von Norman Rockwell
Printed by permission of the Norman Rockwell Family Agency
Satz: Greiner & Reichel, Köln
Druck und Bindung: Kösel, Krugzell
Gedruckt auf säurefreiem, chlorfrei gebleichtem Papier
Printed in Germany · ISBN 978-3-423-09491-7

Inhalt

Andrew Davies
The New Baboon

The trouble was, that if I kept the females all
together in one place they quarrelled with each
other and got on my nerves – or, worse than
that, ganged up on me and refused to groom me
properly, and sat around criticizing my jumping
and swinging style and the size of the coconuts
I brought home.

But if I kept them all in separate trees and caves it
was difficult to see what they were getting up to.
Some of my older sons, Ong and Grd in particular,
were becoming increasingly ambitious to perform
upoopoo with my females, and some of the young-
er females seemed to me to be encouraging Ong
and Grd in these efforts to subvert my domination.
It became necessary for me to rise very early in the
morning, and be the last baboon to retire for sleep
at night. And it was increasingly wearisome for
me to have to call and display and make *grawgraw*
at the young males every single day, and even, on
occasion, give heavy *bangbang* to one or another
of them.

They were too stupid, or too contentious one
against the other, to join forces against me: if I was
forced to give *bangbang* to Ong, for example, Grd
would watch in a state of excitement and delight,
leaping up and down and chittering and pulling on
his dogo. But if they were too stupid for that, they

Andrew Davies
Der neue Pavian

Das Problem war, dass die Weibchen, wenn ich sie alle dicht zusammenhielt, mit einander zu streiten anfingen und mir auf die Nerven gingen oder, was noch schlimmer war, sich gegen mich verschworen, sich weigerten, mich gründlich zu lausen, und nur herumsaßen und lästerten: über meine Art zu springen und zu schwingen oder über die Größe der Kokosnüsse, die ich ihnen mitbrachte.

Wenn ich sie aber auf verschiedene Bäume oder Höhlen verteilte, war schwer zu überwachen, was sie im Schilde führten. Einige meiner älteren Söhne, allen voran Ong und Grd, wurden immer begieriger darauf, mit meinen Weibchen *Upupu* zu treiben, und ich hatte den Eindruck, dass einige der jüngeren Weibchen Ong und Grd in ihrem Bemühen unterstützten, meine Vorrangstellung zu untergraben. Es wurde unumgänglich, dass ich morgens sehr früh aufstand und abends der letzte Pavian war, der sich schlafenlegte. Und es strengte mich zunehmend an, tagtäglich zu schreien und eine Schau abzuziehen und vor den jungen Männchen ein *Grogro* zu veranstalten und ab und zu dem einen oder anderen ein kräftiges *Wumbum* zu verabreichen.

Sie waren entweder zu dumm oder zu zerstritten, um sich gegen mich zusammenzutun. Wenn ich beispielsweise gezwungen war, Ong ein *Wumbum* zu verabreichen, sah Grd nur aufgeregt und voller Freude zu, machte Luftsprünge, plapperte und zog an seinem Dogo. Und wenn sie dazu schon zu dumm waren, dann waren sie auch zu dumm, um

were too stupid also to see that their *awa* was
to leave the pack, and wander alone until they
could find their own females and become senior
baboons in their turn.

It was my duty, my *awa* too, to keep my sons
from my females. This was so that my offspring
would be big and strong like me. And – yes, you
are no doubt there before me – grow up into
uppity bonkers like Ong and Grd and make their
father's life a misery in their turn.

The life of a baboon is full of cruel ironies.

Besides my females and my uppity sons, I also
had to worry about the loneboys; fully-grown
males who had left their pack or been driven
from it in their first maturity, and now travelled
the coastline where the jungle reaches down
to the silver beach, looking for a pack to conquer
and make their own.

    I had once been a loneboy, and had won my
females from a terrible old bangerboy called
Walt in a fight that had frightened all the baboons within ten daynights' walking of the
Blue Rock hollow. And since then I had made
twenty-seven successful defences of my terri-
tory against wandering loneboys. Sometimes
it had been enough merely to display and make
grawgraw and show them my dogo. More often
it was necessary to give them heavy *bangbang*.
Sometimes tear them with my main teeth,

zu begreifen, dass es ihr *Awa* war, die Horde zu verlassen und alleine umherzustreifen, bis sie eigene Weibchen gefunden hatten und selber Oberpaviane waren.

Es war auch meine Pflicht, mein *Awa*, meine Söhne von meinen Weibchen fernzuhalten. Das war nötig, damit meine Nachkommen einmal genauso groß und stark würden wie ich und – ihr habt es sicher längst begriffen – sich zu solchen aufmüpfigen Halbstarken entwickelten wie Ong und Grd, die ihrem Vater das Leben zur Hölle machten.

Das Leben eines Pavians steckt voll bitterer Ironie.

Außer meinen Weibchen und aufmüpfigen Söhnen bereiteten mir auch die Einzelgänger Sorgen, ausgewachsene Männchen, die ihre Horde verlassen hatten oder, sobald sie geschlechtsreif waren, davongejagt worden waren und nun die Küste entlangstreiften, dort wo der Dschungel bis an den silbrigen Strand reicht, auf der Suche nach einer Horde, die sie erobern und zu ihrer eigenen machen konnten.

Ich war selbst mal so ein Einzelgänger und hatte meine Weibchen einem schrecklichen alten Aufschneider namens Walt weggenommen, in einem Kampf, der sämtliche Paviane in einem Umkreis von zehn Tagnachtmärschen von der Höhle am Blue Rock in Angst und Schrecken versetzte. Und seither habe ich mein Territorium siebenundzwanzigmal erfolgreich gegen umherstreunende Einzelgänger verteidigt. Manchmal genügte es schon, eine Schau abzuziehen und ein *Grogro* zu veranstalten und ihnen meinen Dogo zu zeigen. Oft war es aber nötig, ihnen ein saftiges *Wumbum* zu verabreichen, und manchmal sogar, mit meinen Eckzähnen

even. Only once did I have to kill a loneboy,
and he was a crazy ape, crazy from drinking
bad juice. We are not like the human men.
A beaten baboon knows when he is beaten and
he will ask to go away, and a strong baboon
will let him go. Maybe the human men drink
bad juice.

That was my life, a hard life, and full of little irri-
tations and big worries too. And then one day the
new baboon came along the shore from the West,
and that was when my troubles really started.

I woke to hear my females chattering, and for
once they had gathered closely round me, each
one wanting to touch and snog and groom me.
I looked around, and then I saw what they were
chattering about. Only fifty jumps away, down
by the sea, a new baboon, a big hungry loneboy,
sitting on his *gopa* and displaying his *dogo* to my
females. I felt a great weariness and irritation at
having to prepare for another defence. No fear.
This new baboon was big and hungry, yes, but
nothing to me. One good *bangbang* on his head
and he would understand that.

I shook my females off and stood up in all my
bigness. He did not move. I blew my face up and
gave him *stiffhair* and *hardeye*. He showed me
his main teeth. I kept my *hardeye* on him and I
walked right down on to the beach, towards him,
no back and forth, no shouting, no *grawgraw*;

an ihnen zu reißen. Aber nur einmal habe ich einen Einzelgänger töten müssen, und dieser Affe war von Sinnen, weil er verdorbenen Saft getrunken hatte. Wir sind da anders als Menschenmänner. Ein unterlegener Pavian weiß, wann er unterlegen ist, und bittet darum, sich zurückziehen zu dürfen, und ein starker Pavian wird ihn auch gehen lassen. Vielleicht trinken Menschenmänner verdorbenen Saft.

So also war mein Leben, ein schweres Leben voll kleiner Ärgernisse und auch großer Sorgen. Und dann kam eines Tages dieser neue Pavian vom Strand im Westen daher, und da fing mein Kummer erst richtig an.

Als ich aufwachte, hörte ich meine Weibchen aufgeregt schnattern, und ausnahmsweise hatten sie sich dicht um mich geschart, und alle wollten sie mich anfassen und streicheln und lausen. Ich sah mich um, und da entdeckte ich, weshalb sie so schnatterten. Nur fünfzig Sprünge entfernt, unten am Wasser, saß ein großer, hungriger Einzelgänger auf seinem Gopa und zeigte meinen Weibchen seinen Dogo. Bei dem Gedanken, wieder einmal verteidigen zu müssen, überkam mich großer Überdruss und Ärger, aber keine Angst. Dieser neue Pavian war groß und hungrig, gewiss, aber kein Gegner für mich. Ein ordentliches *Wumbum* auf seinem Schädel, und er würde das begreifen.

Ich schüttelte meine Weibchen ab und richtete mich zu meiner ganzen Größe auf. Er bewegte sich nicht. Ich blies die Backen auf und gab ihm *Stachelhaar* und *Starrblick*. Er zeigte mir nur seine Eckzähne. Ich hielt den *Starrblick* auf ihn gerichtet und ging zum Strand, geradewegs auf ihn zu, ohne Hinundher, ohne Geschrei, ohne *Grogro*. Es war mir sehr

I was very meanbusiness and believe me I was
doing bigboy walking. I wanted to get this thing
over fast and get some peace and quiet. When
I am two jumps from him I stop so that he can
see all my meat. And I show him my main teeth
and I let him hear my big noise and smell my
fierce, fighty smell. All right then, loneboy. I come
at him like a big wave – and he's not there! I am
going *bangbang* on bare sand!

I heard my females chattering and I turned
around. The loneboy was running and wriggling
among my females and they were going *chattersqueak looklook*; and then I saw he had captured
one – he had captured Lpipi, a young, justready
one … and I made big noise and went fast like a
wind to catch him, but he was much too fast to
catch, and he was carrying and pulling Lpipi up a
high tree; and though she was going *chattersqueak*
she was not fighting him, but holding round his
back and helping him to climb; and I gave a big,
fighty growl and I went up that tree after him, I
was ready to fight him out of that tree and throw
him on his head and break him, but he was such
a climber that he was a long way ahead of me, and
reached the top of the tree when I was only halfway up. And to my terrible shame and anger, when
I looked at him, he was doing *upoopoo* with her,
onetwothree, so fast that he had finished when I
was still five jumps away, and he left her for me,
and jumped himself to another tree, and so down
to the beach, and away.

ernst, und ich legte den Großkerl-Gang vor, das können Sie mir glauben. Ich wollte das schnell hinter mich bringen und dann wieder Ruhe und Frieden haben. Als ich zwei Sprünge weit von ihm entfernt bin, bleibe ich stehen, so dass er alles sehen kann, was an mir dran ist. Ich zeige ihm meine Eckzähne und lasse ihn mein großes Getöse hören und meinen wilden Kampfduft atmen. Jetzt pass auf, Einzelgänger! Ich stürze mich auf ihn wie eine große Woge – und er ist weg! Ich habe *Wumbum* dem leeren Sand verabreicht!

Ich konnte meine Weibchen schnattern hören und drehte mich um. Der Einzelgänger rannte und zwängte sich zwischen meinen Weibchen durch, und sie waren ganz *Schnatterkreisch Guckguck,* und dann sah ich, dass er sich eines gegriffen hatte – er hatte sich Lpipi gegriffen, eine von den jungen, geradesoweiten … und ich machte großes Getöse und rannte wie der Wind, um ihn mir zu schnappen, aber er war viel zu schnell, um sich schnappen zu lassen, und schleppte und zerrte Lpipi auf einen hohen Baum; und obwohl sie ganz *Schnatterkreisch* war, leistete sie ihm keinen Widerstand, sondern klammerte sich an ihn und half ihm beim Klettern; und ich stieß ein lautes Kampfknurren aus und kletterte hinter ihm her. Ich war bereit, ihn von diesem Baum herunterzukämpfen und ihn auf seinen Kopf fallen zu lassen und ihm alle Knochen zu brechen, aber er war ein derartig guter Kletterer, dass er mir weit voraus war und bereits den Wipfel erreicht hatte, als ich erst halb oben war. Und dann musste ich hilflos und wütend zusehen, wie er mit ihr *Upupu* trieb, einszweidrei, so schnell, dass er schon fertig war, als ich noch fünf Sprünge entfernt war, und dann überließ er sie mir, sprang selber auf einen anderen Baum und hinunter an den Strand, und weg war er.

And so the days of my misery started. Every day, and sometimes in the night, the new baboon would come; and every time he ran away when I went to fight him; and every time he was too fast for me to catch him; and every time he managed to steal Lpipi or one of the other young females; and every time he would perform *upoopoo* with one of them, sometimes two of them. After a time, I saw that there was little that I could do, for he would not behave like a true baboon and understand that he was not strong enough to take my females from me. I stopped trying to chase him, and instead I kept my females with me all the time, so that he could not get at them. He would come to the beach, as he had done the first day, and sit on his gopa displaying his dogo, and all the females would go *chatterchatter looklook*, but I would not move, and he waited for Lpipi and the other justreadies in vain.

But in time I came to see that that was a failure too: kept all day and night together in a big huddle, the females quarrelled with each other and got on my nerves, or ganged up on me and refused to groom me properly, and talked about me without respect. I was unable to venture far to gather food, because of the loneboy. I never knew how far or how near he was hiding. Sometimes I only had to move ten jumps from my females, and I would turn to find him doing *upoopoo* with Lpipi or another one.

Und damit fing für mich die Leidenszeit an. Jeden Tag kam der neue Pavian, manchmal auch nachts, und jedes Mal rannte er weg, wenn ich mit ihm kämpfen wollte, und jedesmal entwischte er mir, und jedes Mal gelang es ihm, Lpipi oder eines der anderen jungen Weibchen zu entführen, und jedes Mal trieb er *Upupu* mit einer von ihnen, manchmal auch mit zweien. Nach einer Weile sah ich ein, dass ich nicht viel tun konnte, denn er verhielt sich einfach nicht wie ein richtiger Pavian und wollte nicht einsehen, dass er nicht stark genug war, um mir meine Weibchen wegzunehmen. Ich gab es auf, ihn zu jagen, und hielt stattdessen meine Weibchen ständig in meiner Nähe, so dass er sie nicht kriegen konnte. Er kam weiter an den Strand, so wie beim ersten Mal, saß da auf seinem Gopa und stellte seinen Dogo zur Schau, und alle Weibchen machten *Schnatterkreisch Guckguck*, aber ich rührte mich nicht, und er wartete vergeblich auf Lpipi oder eine der anderen Geradesoweiten.

Nach einiger Zeit merkte ich jedoch, dass auch das nichts nützte. Wenn sie Tag und Nacht aufeinanderhockten, fingen die Weibchen an, sich zu zanken und mir auf die Nerven zu gehen, oder sie verschworen sich gegen mich, weigerten sich, mich gründlich zu lausen und redeten respektlos über mich. Ich konnte mich nicht weit entfernen, um Nahrung zu suchen, denn da war ja der Einzelgänger. Nie wusste ich, ob er sich weit weg oder in der Nähe versteckt hielt. Manchmal brauchte ich mich nur zehn Sprünge von meinen Weibchen zu entfernen, und wenn ich mich umdrehte, trieb er schon mit Lpipi oder einer anderen *Upupu*.

Worse still. Sometimes Lpipi and two or three of
the other justreadies would steal away when I was
dozing, would steal away on purpose to be with
the loneboy, the new baboon, and do *upoopoo* with
him, because they liked the way he did *upoopoo*.
And after that a strange thing happened. I found that
I did not want to do *upoopoo* as often as I had been
used to doing it. When the new baboon had first
come, I had wanted to do *upoopoo* more often than
usual, perform it with every female every day, sometimes as much as ten times a day with some of them.
But when he had been coming for many days I was
weary with the worry of it all and I felt a sadness
even in my dogo, and my head had a pain in it every
day, even though no one had given it *bangbang*, and
I could smell a sad smell, and I knew that it was
mine. And after that, I could not do *upoopoo* at all.

One day I awoke and I felt different. The pain in
my head had gone. My dogo was still hiding his
head and I was still not able to do *upoopoo* but I
did not care any more. And I did not want to take
care of anyone except myself any more. I wanted
to be alone. I was not ashamed of this. I understood
it was my *awa* to leave the pack and go away by
myself.

And that was what I did.

I travelled east, many daynights' walking. I kept
to the shoreline, only going into the jungle to
get food. It was hard to get food, because there

Es kam noch schlimmer. Manchmal, wenn ich eingenickt war, schlichen sich Lpipi und zwei oder drei der anderen Geradesoweiten davon, um bei dem Einzelgänger, dem neuen Pavian, zu sein und mit ihm *Upupu* zu treiben, denn ihnen gefiel es, wie er es machte. Und danach geschah etwas Merkwürdiges. Ich stellte fest, dass ich nicht mehr so oft *Upupu* machen wollte wie früher. Anfangs, kurz nachdem der neue Pavian aufgetaucht war, wollte ich es häufiger machen als sonst, mit jedem Weibchen einmal am Tag und mit manchen bis zu zehnmal am Tag. Aber nachdem er viele Tage hintereinander gekommen war, hatte ich die Aufregungen satt, und ich spürte eine gewisse Traurigkeit, sogar in meinem Dogo, und in meinem Kopf saß täglich ein Schmerz, obwohl mir niemand *Wumbum* verabreicht hatte, und ich konnte einen Geruch von Traurigkeit riechen und wusste, dass er von mir kam. Und danach konnte ich überhaupt nicht mehr *Upupu* machen.

Eines Tages wachte ich auf und fühlte mich verändert. Der Schmerz in meinem Kopf war weg. Mein Dogo hielt seinen Kopf immer noch versteckt, und ich konnte nicht *Upupu* machen, aber mir war das jetzt gleichgültig. Und ich wollte mich um niemanden mehr kümmern müssen, nur noch um mich selbst. Ich wollte allein sein. Ich schämte mich deswegen nicht. Mir wurde klar, dass es mein *Awa* war, die Horde zu verlassen und allein davonzugehen.

Und das tat ich dann.

Ich zog nach Osten und marschierte viele Tagnächte. Ich folgte dem Saum des Meeres und ging nur in den Dschungel, um Nahrung zu suchen. Es war schwer, an Nahrung

were other packs, and they drove me away from the food, as I had driven other wandering, lonely baboons away from my food. I could have fought for the food, but I did not want to fight any more, I was tired of it. These packs were strange packs, I could not tell who was the leader; it seemed to me that the days of the senior baboon were over. I began to be sad again. I could not change from what I was. I did not want to become a baboon who won his food and his females by tricks and fast climbing, and I was tired of fighting. I did not want *upoopoo* any more. I took the nearest food from the lowest branches and I ate it without happiness. Sometimes I drank bad juice. And I smelled the sad smell again, and I knew that it was my smell.

One day I wanted to walk into the sea. This was a strange want. Baboons live near the sea but they do not go in it. We are not good swimmers and we don't eat fish. But I wanted to go in. I thought it might wash away my sad smell. And I walked into the sea a short way, until the water was as high as my dogo, and it seemed to me that my sad smell was not so strong. So I walked in further, but then a big wave came and I fell into the wet darkness and it felt like a huge leg had been thrust down my throat and I wanted to sleep in the middle of the pain, but then I wanted to fight the water until I could ask it to let me go, and it fought me and gave me heavy *bangbang,* and in the end tumbled me back on to the beach, nearly broken.

zu kommen, denn da waren andere Horden, die mich verjagten, so wie ich früher umherziehende einsame Paviane von meiner Nahrung weggejagt hatte. Ich hätte sie mir erkämpfen können, aber ich wollte nicht mehr kämpfen, ich hatte genug davon. Diese Horden waren seltsam, nie wusste ich, wer ihr Anführer war. Anscheinend waren die Zeiten der Oberpaviane vorbei. Das machte mich wieder traurig. Ich konnte doch nicht aus meiner Haut heraus. Ich wollte kein Pavian werden, der seine Nahrung und seine Weibchen mit Tricks und flinkem Klettern bekam, und vom Kämpfen hatte ich genug. *Upupu* wollte ich auch nicht mehr. Ich holte mir die nächstbeste Nahrung von den untersten Ästen und verzehrte sie ohne Freude. Manchmal trank ich verdorbenen Saft. Und ich konnte den Geruch von Traurigkeit wieder riechen und wusste, dass er von mir kam.

Eines Tages hatte ich den Wunsch, ins Meer hinauszugehen. Das war ein seltsamer Wunsch. Paviane leben zwar am Meer, aber sie gehen nie hinein. Wir können nicht gut schwimmen und wir essen keinen Fisch. Trotzdem wollte ich hineingehen. Ich dachte, vielleicht wäscht es meinen Geruch von Traurigkeit ab. Und ich ging ein Stück weit ins Meer hinaus, bis das Wasser an meinen Dogo reichte, und es kam mir so vor, als sei mein Geruch von Traurigkeit nicht mehr so stark. Also ging ich weiter hinaus, aber da kam eine große Welle, und ich fiel in das nasse Dunkel, und es fühlte sich an, als würde mir ein riesiges Bein in die Kehle gerammt, und ich wollte trotz der Schmerzen einschlafen, doch dann wollte ich mit dem Wasser kämpfen, bis ich es bitten konnte, mich gehen zu lassen, und es kämpfte mit mir und verabreichte mir ein gewaltiges Wumbum und warf mich schließlich, fast gänzlich zerbrochen, auf den Strand.

And it was there, on that beach, half drowned, chok-
ing, exhausted, near to death, that I met my future
wife. My dear one. Her name is Leonora, and she
will tell you herself how it came about.

My heart is too full for many words. Yes, I am en-
gaged to be married. I am the happiest woman in the
world, and I pity those who mock at me and shun me:
I think they will never know the happiness I know.

One Sunday morning – it was the third of January
last – I went with Mrs Pittenden to take the waters
and indulge in a sea bath in the warm currents of the
Indian Ocean, which has been our daily habit since
we came to these shores. The beach is a very secluded
one, and we had come to expect that we could enjoy
our thalassic romps in the total confidence that not
another living soul would be present to witness
them. Imagine then our astonishment when, on
emerging from the waters in a state of nature, we
saw crawling towards us along the strand a poor
bedraggled creature, near to death and stretching
out an arm towards us in most piteous supplication.

Mrs Pittenden screamed and ran to fetch the
servants; but I had seen the poor creature's piteous eyes, and I was not afraid. At first I did not
know whether it was a man or a beast, and to tell
the truth I did not care; never had I seen such
sadness in a face, never such supplication, never
had I known such confidence within my own
heart that God had put me on that beach to re-

Und dort, an diesem Strand, halb ertrunken, hustend, erschöpft, dem Tode nahe, begegnete ich meiner späteren Frau, meiner Liebsten. Ihr Name ist Leonora, und sie wird euch selbst erzählen, wie alles gekommen ist.

Ich bin zu bewegt, um viele Worte zu machen. Ja, ich bin verlobt! Ich bin die glücklichste Frau der Welt, und mir tun alle leid, die über mich lachen und mir aus dem Weg gehen. Sie werden wohl nie dasselbe Glück verspüren wie ich.

Eines Sonntagmorgens – es war der 3. Januar letzten Jahres – begleitete ich Mrs Pittenden ans Wasser, um ein Bad in den warmen Fluten des Indischen Ozeans zu genießen, wie es unsere tägliche Gewohnheit war, seit wir diese Gestade erreichten. Der Strand ist ganz abgelegen, und wir hatten guten Grund zu der Annahme, dass uns keine Menschenseele bei unseren ausgelassenen Spielen in Neptuns Reich beobachten würde. Wer beschreibt daher unsere Überraschung, als wir, nackt wie Gott uns schuf, den Fluten entstiegen und sahen, wie ein armes, übel zugerichtetes Wesen halbtot am Strand auf uns zugekrochen kam und uns mit einer mitleiderregenden Geste hilfesuchend einen Arm entgegenstreckte.

Mrs Pittenden schrie auf und lief, um die Diener herbeizuholen. Ich aber hatte den mitleidheischenden Blick des Wesens wahrgenommen und fürchtete mich nicht. Anfangs wusste ich nicht, ob es sich um Mensch oder Tier handelte, aber das war mir, offen gestanden, auch gleich. Nie zuvor hatte ich soviel Traurigkeit, soviel Hilfsbedürftigkeit in einem Gesicht gesehen, nie zuvor hatte ich in tiefster Seele die Gewissheit verspürt, dass Gott mich an diesen Strand

lieve that creature's sadness. And he knew too; even then he knew that we have travelled far, for a meeting that would change the lives of both of us for ever.

How my Albert – for that is what I call him, and is the name he loves to answer to – how Albert recovered his strength with my aid, how he became first my pet baboon, then – as he learned apace – my servant, next my friend, and finally my lover and fiancé: all this must await a more leisured occasion, for I sometimes think that there are enough amusing, instructive and sentimental anecdotes relating to our meeting, our mutual instruction, and our strong and burgeoning love to fill a tidy volume which would well repay the perusal of many a curious young lady. For now, all that is needful for me to say is that I am the happiest girl in the world, and likely to be the happiest married woman.

True love is always strange, though, isn't it? Leonora, of course, is exceptional, even amongst those bold and unconventional travellers and wanderers of her time. She even looks exceptional – her face a perfect oval, her brow high and noble, a classic beauty except for her eyebrows, which meet in a single, dark, emphatic line above her nose, quite bushy, and rich with her unique spicy scent.

Albert loves her eyebrows. When they lie together he loves to trace their length with the pink tip of a long prehensile finger, or the pink tip of a

geschickt hatte, um diesem Wesen seine Traurigkeit zu nehmen. Und er spürte das auch; er wusste sofort, dass wir einen weiten Weg zurückgelegt hatten bis zu dieser Begegnung, die unser beider Leben für immer verändern sollte.

Wie mein Albert – denn so nenne ich ihn, und dies ist der Name, den er gerne hört – wie Albert mit meiner Hilfe wieder zu Kräften kam, wie er zunächst mein gehätschelter Pavian wurde und dann – denn er lernte schnell – mein Diener, später mein Freund und schließlich mein Liebhaber und Verlobter, all das muss einmal bei anderer Gelegenheit in Ruhe erzählt werden, denn mir will scheinen, dass es reichlich Anekdoten davon zu erzählen gibt, wie wir uns begegneten, wie wir voneinander lernten und wie unsere Liebe zueinander immer stärker wurde, um ein ganzes Buch zu füllen, das so manche wissbegierige junge Dame mit großem Gewinn lesen könnte. Im Augenblick genügt es, wenn ich sage, dass ich das glücklichste Mädchen der Welt bin und bald sicherlich auch die glücklichste Ehefrau.

Wahre Liebe ist doch immer sonderbar, oder nicht? Leonora ist natürlich etwas Besonderes, selbst unter den kühnen und unkonventionellen Reisenden und Weltenbummlern ihrer Zeit. Schon ihr Aussehen ist besonders – ihr Gesicht ein vollkommenes Oval, die Stirn hoch und vornehm, eine klassische Schönheit bis auf ihre Augenbrauen, die in einer kräftigen dunklen Linie über ihrer Nasenwurzel zusammentreffen, ziemlich buschig sind und einen ihr eigenen würzigen Duft verströmen.

Albert liebt ihre Augenbrauen. Wenn sie beieinander liegen, folgt er ihnen gerne mit der rosafarbenen Spitze eines langen, behutsamen Fingers oder mit der rosafarbenen

long prehensile toe, or with the tip of his long pink tongue. He never thinks about his past life; he is content to have relinquished his status as a senior baboon. He knows he is not Leonora's toy. He does not yearn for Lpipi and the other females. Leonora is fearless and adventurous, and he is teaching her to make love while rocking in the branches of tall trees; she is showing a considerable aptitude. Last night, when they were lying peacefully together, his deep hairy chest to her smooth back, his long clever arms wound round and round her slender waist, her round warm bottom pressed into his lower belly sending its messages of love and heal- ing, the tip of his soft hairy tail nestling gently in her ear, he touched the underside of her soft little toes with his hard hairy toes, and she curled her toes and held his with a strength not far short of the strength of a young female baboon. And she whispered to him that in an earlier life she too had been a monkey and known monkey life and made monkey love. And who is there to say that that was not the truth?

Spitze einer langen behutsamen Zehe oder mit der Spitze seiner langen rosafarbenen Zunge. Er denkt nicht mehr an sein früheres Leben; er ist zufrieden damit, seinen Status als Oberpavian aufgegeben zu haben. Er weiß, dass er nicht Leonoras Spielzeug ist. Er sehnt sich nicht nach Lpipi und den anderen Weibchen zurück. Leonora ist furchtlos und liebt das Abenteuer, und er zeigt ihr, wie man sich liebt, während man in den Ästen hoher Bäume schaukelt. Sie erweist sich dabei als sehr gelehrig. Letzte Nacht, als sie friedlich beieinander lagen, seine gewölbte, behaarte Brust an ihrem zarten Rücken, seine langen, geschickten Arme um ihre schlanke Taille gewunden, ihr rundes, warmes Gesäß gegen seinen Unterbauch gepresst und dabei eine Botschaft von Liebe und Heilkraft aussendend, die Spitze seines weichen, behaarten Schwanzes zärtlich in ihr Ohr geschmiegt, da berührte er die Unterseite ihrer weichen, kleinen Zehen mit seinen hornigen, haarigen Zehen, und sie rollte ihre Zehen um die seinen mit einer Kraft, die der eines jungen Pavianweibchens kaum nachstand. Und sie flüsterte ihm zu, dass auch sie in einem früheren Leben eine Äffin gewesen sei und unter Affen gelebt und wie Affen geliebt habe. Und wer will behaupten, dass das nicht die Wahrheit war?

Evelyn Waugh
Mr Loveday's Little Outing

1

"You will not find your father greatly changed,"
remarked Lady Moping, as the car turned into the
gates of the County Asylum.

"Will he be wearing a uniform?" asked Angela.

"No, dear, of course not. He is receiving the very
best attention."

It was Angela's first visit and it was being made at
her own suggestion.

Ten years had passed since the showery day in late
summer when Lord Moping had been taken away; a
day of confused but bitter memories for her; the day
of Lady Moping's annual garden party, always bitter, confused that day by the caprice of the weather
which, remaining clear and brilliant with promise
until the arrival of the first guests, had suddenly
blackened into a squall. There had been a scuttle
for cover; the marquee had capsized; a frantic carrying of cushions and chairs; a table-cloth lofted to
the boughs of the monkey-puzzler, fluttering in
the rain; a bright period and the cautious emergence
of guests on to the soggy lawns; another squall;
another twenty minutes of sunshine. It had been
an abominable afternoon, culminating at about six
o'clock in her father's attempted suicide.

Lord Moping habitually threatened suicide on
the occasion of the garden party; that year he had

Evelyn Waugh
Mr Lovedays kleiner Ausflug

1

«Du wirst deinen Vater ziemlich unverändert finden»,
bemerkte Lady Moping, als das Auto in die Toreinfahrt
zur Irrenanstalt der Grafschaft bog.
   «Trägt er Anstaltskleidung?», fragte Angela.
   «Nein, Kind, natürlich nicht. Er wird sehr gut behandelt.»
   Es war Angelas erster Besuch, und sie hatte selbst darum gebeten.
   Zehn Jahre waren seit jenem regnerischen Spätsommer-
tag vergangen, als man Lord Moping abholte. Es war ein
Tag, an den sie nur dunkle, aber schmerzliche Erinnerun-
gen hatte. Der Tag der alljährlichen Gartenparty Lady
Mopings war stets schmerzlich, aber in jenem Jahr verdun-
kelt durch das wechselhafte Wetter, das klar und verhei-
ßungsvoll sonnig gewesen war, bis die ersten Gäste kamen,
und sich dann stürmisch verfinsterte. Man suchte flucht-
artig Schutz, das Gartenzelt brach zusammen, Sitzkissen
und Stühle wurden hektisch umhergetragen, ein Tischtuch
erhob sich ins Geäst des Affenbrotbaums und flatterte im
Regen, dann eine Aufhellung und das vorsichtige Heraus-
treten von Gästen auf den aufgeweichten Rasen, noch eine
Regenbö und wieder zwanzig Minuten Sonnenschein. Es
war ein schrecklicher Nachmittag gewesen, der gegen sechs
in Vaters Selbstmordversuch gipfelte.
   Lord Moping drohte gewohnheitsmäßig mit Selbstmord,
wenn die Gartenparty stattfand. In jenem Jahr hatte man

been found black in the face, hanging by his braces in the orangery; some neighbours, who were sheltering there from the rain, set him on his feet again, and before dinner a van had called for him. Since then Lady Moping had paid seasonal calls at the asylum and returned in time for tea, rather reticent of her experience.

Many of her neighbours were inclined to be critical of Lord Moping's accommodation. He was not, of course, an ordinary inmate. He lived in a separate wing of the asylum, specially devoted to the segregation of wealthier lunatics. These were given every consideration which their foibles permitted. They might choose their own clothes (many indulged in the liveliest fancies), smoke the most expensive brands of cigars and, on the anniversaries of their certification, entertain any other inmates for whom they had an attachment to private dinner parties.

The fact remained, however, that it was far from being the most expensive kind of institution; the uncompromising address, 'COUNTY HOME FOR MENTAL DEFECTIVES' stamped across the notepaper, worked on the uniform of their attendants, painted, even, upon a prominent hoarding at the main entrance, suggested the lowest associations. From time to time, with less or more tact, her friends attempted to bring to Lady Moping's notice particulars of seaside nursing homes, of "qualified practitioners with large private grounds suitable for the charge of nervous or difficult cases," but she accepted them lightly; when her son came of age he might make any changes that he thought fit; meanwhile she felt no inclination to

ihn in der Orangerie gefunden, wo er, blau im Gesicht, an seinen Hosenträgern baumelte. Nachbarn, die dort Schutz vor dem Regen gesucht hatten, stellten ihn wieder auf die Beine, und noch vor dem Dinner kam ein Wagen und brachte ihn fort. Seither machte Lady Moping vierteljährlich Besuche in der Anstalt, von denen sie rechtzeitig zum Tee zurückkam und über die sie sich ausschwieg.

Viele ihrer Nachbarn äußerten sich kritisch über Lord Mopings Unterbringung. Er war aber selbstverständlich kein gewöhnlicher Insasse. Er wohnte in einem Flügel der Anstalt, der ausschließlich der Unterbringung wohlhabender Irrer diente. Auf deren kleine Schwächen wurde Rücksicht genommen, soweit es irgend ging. Sie durften sich ihre Kleidung aussuchen (und viele hegten die lebhaftesten Einbildungen), konnten die teuersten Markenzigarren rauchen, und am Jahrestag ihrer Einweisung durften sie andere Insassen, denen sie sich verbunden fühlten, zu privaten Abendgesellschaften einladen.

Tatsache ist aber auch, dass dies bei weitem nicht die teuerste Einrichtung ihrer Art war. Die unmissverständliche Bezeichnung BEZIRKSANSTALT FÜR GEISTIG GESTÖRTE, die auf das Briefpapier gedruckt, auf die Uniformen der Bediensteten gestickt und sogar auf ein gut sichtbares Schild am Haupteingang gemalt war, ließ Verbindungen zu den niederen Schichten vermuten. Von Zeit zu Zeit versuchten Freunde mehr oder weniger taktvoll, Lady Mopings Aufmerksamkeit auf Pflegeheime am Meer zu lenken, «mit geschultem Personal, in weitläufigem Privatgelände, besonders für die Versorgung von Nervenleiden oder schwierigen Fällen geeignet», aber sie nahm das nur leichthin zur Kenntnis. Wenn ihr Sohn volljährig würde, konnte er ja Änderungen vornehmen, wenn er es für angebracht hielt;

relax her economical regime; her husband had
betrayed her basely on the one day in the year
when she looked for loyal support, and was far
better off than he deserved.

A few lonely figures in great-coats were shuffling
and loping about the park.

"Those are the lower class lunatics," observed
Lady Moping. "There is a very nice little flower
garden for people like your father. I sent them
some cuttings last year."

They drove past the blank, yellow brick façade
to the doctor's private entrance and were received
by him in the "visitors room," set aside for inter-
views of this kind. The window was protected
on the inside by bars and wire netting; there was
no fireplace; when Angela nervously attempted
tomove her chair further from the radiator, she
found that it was screwed to the floor.

"Lord Moping is quite ready to see you," said
the doctor.

"How is he?"

"Oh, very well, very well indeed, I'm glad to
say. He had rather a nasty cold some time ago, but
apart from that his condition is excellent. He spends
a lot of his time in writing."

They heard a shuffling, skipping sound approach-
ing along the flagged passage. Outside the door a
high peevish voice, which Angela recognized as her
father's, said: "I haven't the time, I tell you. Let
them come back later."

A gentler tone, with a slight rural burr, replied,

bis dahin war sie nicht geneigt, von ihren Sparmaßnahmen abzugehen. Ihr Mann hatte sie an dem einen Tag im Jahr, an dem sie loyalen Beistand erwartete, schnöde im Stich gelassen, und es ging ihm weit besser, als er es verdiente.

Einige einsame Gestalten in Mänteln schlurften und wankten im Park umher.

«Das sind Verrückte aus den unteren Schichten», erklärte Lady Moping. «Für Leute wie deinen Vater gibt es einen sehr netten kleinen Blumengarten. Letztes Jahr habe ich ihnen ein paar Ableger geschickt.»

Sie fuhren an der schmucklosen Fassade aus gelbem Backstein vorbei zum Privateingang des Arztes, der sie im «Besucherzimmer» empfing, das Gesprächen dieser Art vorbehalten war. Das Fenster war innen durch Eisengitter und Maschendraht geschützt. Einen Kamin gab es nicht. Als Angela nervös versuchte, mit ihrem Stuhl vom Heizkörper wegzurücken, stellte sie fest, dass er festgeschraubt war.

«Lord Moping erwartet schon Ihren Besuch», sagte der Arzt.

«Wie geht es ihm?»

«Oh, sehr gut. Ich muss sagen, wirklich sehr gut. Vor einiger Zeit hatte er eine starke Erkältung, aber davon abgesehen ist sein Zustand ausgezeichnet. Er verbringt viel Zeit mit Schreiben.»

Sie hörten ein halb schlurfendes, halb hüpfendes Geräusch, das sich auf dem gefliesten Korridor näherte. Vor der Tür sagte eine ungehaltene Fistelstimme, die Angela als die ihres Vaters erkannte: «Ich sage Ihnen doch, dass ich keine Zeit habe. Sie sollen später wiederkommen.»

Eine sanftere, etwas ländlich klingende Stimme erwiderte

"Now come along. It is a purely formal audience. You need stay no longer than you like."

Then the door was pushed open (it had no lock or fastening) and Lord Moping came into the room. He was attended by an elderly little man with full white hair and an expression of great kindness.

"That is Mr Loveday who acts as Lord Moping's attendant."

"Secretary," said Lord Moping. He moved with a jogging gait and shook hands with his wife.

"This is Angela. You remember Angela, don't you?"

"No, I can't say that I do. What does she want?"

"We just came to see you."

"Well, you have come at an exceedingly inconvenient time. I am very busy. Have you typed out that letter to the Pope yet, Loveday?"

"No, my lord. If you remember, you asked me to look up the figures about the Newfoundland fisheries first?"

"So I did. Well, it is fortunate, as I think the whole letter will have to be redrafted. A great deal of new information has come to light since luncheon. A great deal … You see, my dear, I am fully occupied." He turned his restless, quizzical eyes upon Angela. "I suppose you have come about the Danube. Well, you must come again later. Tell them it will be all right, quite all right, but I have not had time to give my full attention to it. Tell them that."

"Very well, Papa."

"Anyway," said Lord Moping rather petulantly, "it is a matter of secondary importance. There

darauf: «Na kommen Sie, es ist doch nur ein Höflichkeits-besuch. Sie brauchen nur so lange zu bleiben, wie Sie möch-ten.»

Dann wurde die Tür aufgestoßen (sie hatte weder Schloss noch Türklinken), und Lord Moping kam herein. In seiner Begleitung war ein kleiner, älterer Mann mit vollem wei-ßen Haar und einem Ausdruck großer Güte.

«Das ist Mr Loveday. Er ist Lord Moping behilflich.»

«Als Sekretär», sagte Lord Moping. Er hatte einen wip-penden Gang und reichte seiner Frau die Hand.

«Das ist Angela. Du erinnerst dich doch an Angela?»

«Nein, kann ich nicht behaupten. Was will sie?»

«Wir wollten dich nur besuchen.»

«Nun, ihr kommt äußerst ungelegen. Ich habe viel zu tun. Haben Sie schon den Brief an den Papst abgeschrieben, Loveday?»

«Nein, Euer Lordschaft. Sie erinnern sich, dass Sie mich baten, zuerst die Fischfangquoten in Neufundland zu er-mitteln.»

«Stimmt. Nun, das trifft sich gut, denn ich glaube, der Brief muss noch einmal völlig überarbeitet werden. Seit heute Mittag sind noch eine Menge neuer Informationen ans Licht gekommen. Eine Menge … Du siehst, meine Liebe, dass ich vollauf beschäftigt bin.» Sein unruhiger, forschender Blick fiel auf Angela. «Du bist wahrscheinlich wegen der Donau gekommen. Nun, du musst nochmal wiederkommen. Sag ihnen, es wird alles geregelt, aber ich hatte noch nicht die Zeit, der Sache meine ungeteilte Auf-merksamkeit zu widmen. Sag ihnen das.»

«Wie du wünschst, Papa.»

«Außerdem», sagte Lord Moping etwas vorwurfsvoll, «ist das eine Angelegenheit von minderer Wichtigkeit.

is the Elbe and the Amazon and the Tigris to be dealt with first, eh, Loveday? ... *Danube* indeed. Nasty little river. I'd only call it a stream myself. Well, can't stop, nice of you to come. I would do more for you if I could, but you see how I'm fixed. Write to me about it. That's it. *Put it in black and white*."

And with that he left the room.

"You see," said the doctor, "he is in excellent condition. He is putting on weight, eating and sleeping excellently. In fact, the whole tone of his system is above reproach."

The door opened again and Loveday returned.

"Forgive my coming back, sir, but I was afraid that the young lady might be upset at his Lordship's not knowing her. You mustn't mind him, miss. Next time he'll be very pleased to see you. It's only to-day he's put out on account of being behindhand with his work. You see, sir, all this week I've been helping in the library and I haven't been able to get all his Lordship's reports typed out. And he's got muddled with his card index. That's all it is. He doesn't mean any harm."

"What a nice man," said Angela, when Loveday had gone back to his charge.

"Yes. I don't know what we should do without old Loveday. Everybody loves him, staff and patients alike."

"I remember him well. It's a great comfort to know that you are able to get such good warders," said Lady Moping; "people who don't know say such foolish things about asylums."

"Oh, but Loveday isn't a warder," said the doctor.

Wir müssen uns erst mal um die Elbe und den Amazonas und den Tigris kümmern, was, Loveday? – Wenn ich schon ‹Donau› höre! Scheußlicher kleiner Fluss. Ich selbst würde sie eher als Rinnsal bezeichnen. So, ich muss weiter. Nett, dass ihr da wart. Ich würde gern mehr für euch tun, wenn ich könnte, aber ihr seht ja, wie es steht. Schreibt mir mal deswegen. Genau, *bringt es zu Papier.*»

Und mit diesen Worten verließ er den Raum.

«Wie Sie sehen», sagte der Arzt, «ist er in ausgezeichneter Verfassung. Er hat zugenommen, Appetit und Schlaf sind ausgezeichnet. Alles in allem ist sein körperlicher Zustand tadellos.»

Die Tür ging wieder auf, und Loveday kam zurück.

«Entschuldigen Sie, Sir, dass ich noch mal hier bin, aber ich habe mir um die junge Dame Sorgen gemacht. Vielleicht hat es sie beunruhigt, dass seine Lordschaft sie nicht erkannt hat. Sie dürfen sich nichts daraus machen, Miss. Das nächste Mal wird er sich sehr freuen, Sie zu sehen, aber heute ist er verstimmt, weil er mit seiner Arbeit im Verzug ist. Wissen Sie, Sir, ich habe die ganze Woche in der Bücherei ausgeholfen und konnte deswegen die Berichte seiner Lordschaft nicht alle abtippen. Außerdem ist seine Kartei durcheinandergeraten. Daran hat es gelegen. Er meint's nicht böse.»

«Was für ein netter Mann», sagte Angela, als Loveday zu seinem Schützling zurückgekehrt war.

«Ja, ich weiß nicht, was wir ohne den alten Loveday täten. Alle mögen ihn, Mitarbeiter wie Patienten.»

«Ich erinnere mich gut an ihn. Es ist beruhigend zu wissen, dass Sie hier so gute Wärter haben», sagte Lady Moping. «Leute, die sich nicht auskennen, sagen oft schreckliche Dinge über Anstalten.»

«Aber Loveday ist kein Wärter», sagte der Arzt.

"You don't mean he's cuckoo, too?" said Angela.

The doctor corrected her.

"He is an *inmate*. It is rather an interesting case. He has been here for thirty-five years."

"But I've never seen anyone saner," said Angela.

"He certainly has that air," said the doctor, "and in the last twenty years we have treated him as such. He is the life and soul of the place. Of course he is not one of the private patients, but we allow him to mix freely with them. He plays billiards excellently, does conjuring tricks at the concert, mends their gramophones, valets them, helps them in their cross-word puzzles and various – er – hobbies. We allow them to give him small tips for services rendered, and he must by now have amassed quite a little fortune. He has a way with even the most troublesome of them. An invaluable man about the place."

"Yes, but why is he here?"

"Well, it is rather sad. When he was a very young man he killed somebody – a young woman quite unknown to him, whom he knocked off her bicycle and then throttled. He gave himself up immediately afterwards and has been here ever since."

"But surely he is perfectly safe now. Why is he not let out?"

"Well, I suppose if it was to anyone's interest, he would be. He has no relatives except a step-sister who lives in Plymouth. She used to visit him at one time, but she hasn't been for years now. He's perfectly happy here and I can assure you we aren't

«Wollen Sie damit sagen, dass er auch plemplem ist?», fragte Angela.

Der Arzt verbesserte sie.

«Er ist ein *Heimbewohner*. Ein interessanter Fall. Er ist schon seit fünfunddreißig Jahren bei uns.»

«Aber ich kann mir keinen normaleren Menschen vorstellen», sagte Angela.

«Zweifellos wirkt er so», bestätigte der Arzt, «und so haben wir ihn auch in den letzten zwanzig Jahren behandelt. Er ist die Seele dieses Hauses. Natürlich ist er keiner der Privatpatienten, aber er darf uneingeschränkt mit ihnen verkehren. Er ist ein ausgezeichneter Billardspieler, führt beim Hauskonzert Zauberkunststücke vor, repariert ihre Plattenspieler, bedient sie, hilft ihnen beim Kreuzworträtsel und bei verschiedenen … äh … Hobbys. Wir lassen es zu, dass sie ihm für seine Dienstleistungen ein Trinkgeld geben, so dass er inzwischen ein kleines Vermögen angehäuft haben muss. Selbst mit den Schwierigsten von ihnen kommt er zurecht. Der Mann ist Gold wert.»

«Aber warum ist er dann hier?»

«Das ist eine traurige Geschichte. Als ganz junger Mann hat er jemanden umgebracht – eine junge Frau, die er gar nicht kannte. Er stieß sie vom Fahrrad und erwürgte sie. Gleich danach hat er sich der Polizei gestellt, und seitdem ist er hier.»

«Aber jetzt ist er doch sicherlich ganz harmlos. Warum lässt man ihn nicht gehen?»

«Nun, wenn irgendwer daran ein Interesse hätte, würde das sicherlich geschehen. Aber er hat keine Verwandten außer einer Stiefschwester in Plymouth. Früher hat sie ihn besucht, aber sie war seit Jahren nicht mehr hier. Er fühlt sich sehr wohl bei uns, und Sie können mir glauben, dass

going to take the first steps in turning him out. He's far too useful to us."

"But it doesn't seem fair," said Angela.

"Look at your father," said the doctor. "He'd be quite lost without Loveday to act as his secretary."

"It doesn't seem fair."

2

Angela left the asylum, oppressed by a sense of injustice. Her mother was unsympathetic.

"Think of being locked up in a looney bin all one's life."

"He attempted to hang himself in the orangery," replied Lady Moping, "*in front of the Chester-Martins.*"

"I don't mean Papa. I mean Mr Loveday."

"I don't think I know him."

"Yes, the looney they have put to look after papa."

"Your father's secretary. A very decent sort of man, I thought, and eminently suited to his work."

Angela left the question for the time, but returned to it again at luncheon on the following day.

"Mums, what does one have to do to get people out of the bin?"

"The bin? Good gracious, child, I hope that you do not anticipate your father's return *here.*"

"No, no. Mr Loveday."

wir die letzten sind, die ihn loswerden wollen. Dafür ist er hier viel zu nützlich.»

«Aber ich finde das nicht fair», sagte Angela.

«Nehmen Sie mal Ihren Vater», sagte der Arzt. «Was würde er machen, wenn er nicht Loveday als Sekretär hätte?»

«Ich finde das nicht fair.»

2

Als Angela die Anstalt verließ, quälte sie ein Gefühl der Ungerechtigkeit. Ihre Mutter zeigte dafür kein Verständnis.

«Stell dir doch nur vor: sein Leben lang in einer Klapsmühle eingesperrt zu sein!»

«Er hat versucht, sich in der Orangerie aufzuhängen», entgegnete Lady Moping. «*Vor den Augen der Chester-Martins!*»

«Ich meine nicht Papa. Ich meine Mr Loveday.»

«Ich kenne niemanden dieses Namens.»

«Doch, das ist der Verrückte, der sich um Papa kümmern soll.»

«Der Sekretär deines Vaters. Ein anständiger Mensch, wie ich finde, und für diese Tätigkeit sehr gut geeignet.»

Angela ließ die Sache vorerst auf sich beruhen, aber am folgenden Tag beim Mittagessen kam sie darauf zurück.

«Mama, was muss man tun, um jemanden aus der Anstalt zu holen?»

«Aus der Anstalt? Lieber Himmel, Kind, du denkst doch wohl nicht daran, dass dein Vater *hierher* zurückkommt?»

«Nein, nein. Ich meine Mr Loveday.»

"Angela, you seem to me to be totally bemused. I see it was a mistake to take you with me on our little visit yesterday."

After luncheon Angela disappeared to the library and was soon immersed in the lunacy laws as represented in the encyclopedia.

She did not re-open the subject with her mother, but a fortnight later, when there was a question of taking some pheasants over to her father for his eleventh Certification Party she showed an unusual willingness to run over with them. Her mother was occupied with other interests and noticed nothing suspicious.

Angela drove her small car to the asylum, and after delivering the game, asked for Mr Loveday. He was busy at the time making a crown for one of his companions who expected hourly to be anointed Emperor of Brazil, but he left his work and enjoyed several minutes' conversation with her. They spoke about her father's health and spirits. After a time Angela remarked, "Don't you ever want to get away?"

Mr Loveday looked at her with his gentle, blue-grey eyes. "I've got very well used to the life, miss. I'm fond of the poor people here, and I think that several of them are quite fond of me. At least, I think they would miss me if I were to go."

"But don't you ever think of being free again?"

"Oh yes, miss, I think of it – almost all the time I think of it."

"What would you do if you got out? There

«Angela, du scheinst mir völlig durcheinander zu sein. Ich merke jetzt, dass es ein Fehler war, dich zu dem kleinen Besuch gestern mitzunehmen.»

Nach dem Essen verschwand Angela in der Bibliothek, wo sie sich bald in die gesetzlichen Bestimmungen über Geisteskranke vertiefte, soweit diese im Konversationslexikon erwähnt wurden.

In Gegenwart ihrer Mutter erwähnte sie dieses Thema nicht mehr, aber als es zwei Wochen später Zeit war, ihrem Vater einige Fasane für seine elfte Einweisungsfeier zu bringen, zeigte Angela ungewohnte Bereitwilligkeit, sie dort abzuliefern. Ihre Mutter war mit anderen Dingen beschäftigt und fand daran nichts Auffälliges.

Angela fuhr in ihrem kleinen Auto zur Anstalt, und nachdem sie die Fasane abgeliefert hatte, erkundigte sie sich nach Mr Loveday. Er war zwar beschäftigt, da er gerade für einen anderen Insassen, der jeden Augenblick erwartete, zum Kaiser von Brasilien gekrönt zu werden, eine Krone anfertigte, aber er unterbrach seine Arbeit und war erfreut, sich einige Minuten mit ihr zu unterhalten. Sie sprachen über die Gesundheit ihres Vaters und wie er sich fühlte. Nach einer Weile fragte Angela: «Möchten Sie denn hier nicht heraus?»

Mr Loveday sah sie mit seinen sanften, blaugrauen Augen an. «Ich habe mich sehr an das Leben hier gewöhnt, Miss. Ich mag diese armen Menschen und glaube, dass einige von ihnen mich auch mögen. Zumindest würde ich ihnen, glaube ich, fehlen, wenn ich wegginge.»

«Aber denken Sie denn nie daran, wieder in Freiheit zu sein?»

«Oh doch, Miss, ich denke daran – ich denke fast andauernd daran.»

«Was würden Sie denn tun, wenn Sie herauskämen?

must be *something* you would sooner do than stay here."

The old man fidgeted uneasily. "Well, miss, it sounds ungrateful, but I can't deny I should welcome a little outing, once, before I get too old to enjoy it. I expect we all have our secret ambitions, and there *is* one thing I often wish I could do. You mustn't ask me what ... It wouldn't take long. But I do feel that if I had done it, just for a day, an afternoon even, then I would die quiet. I could settle down again easier, and devote myself to the poor crazed people here with a better heart. Yes, I do feel that."

There were tears in Angela's eyes that afternoon as she drove away. "He *shall* have his little outing, bless him," she said.

3

From that day onwards for many weeks Angela had a new purpose in life. She moved about the ordinary routine of her home with an abstracted air and an unfamiliar, reserved courtesy which greatly disconcerted Lady Moping.

"I believe the child's in love. I only pray that it isn't that uncouth Egbertson boy."

She read a great deal in the library, she cross-examined any guests who had pretensions to legal or medical knowledge, she showed extreme goodwill to old Sir Roderick Lane-Foscote, their Member. The names "alienist," "barrister" or

Es muss doch etwas geben, das Sie lieber täten, als hierzubleiben.»

Der alte Mann tat eine verlegene Geste. «Es klingt vielleicht undankbar, Miss, aber ich gebe zu, dass ich gerne einen kleinen Ausflug machen würde, nur einmal, bevor ich zu alt bin, um ihn zu genießen. Wir haben sicherlich alle unsere geheimen Wünsche, und ich denke oft an eine Sache, die ich gerne tun würde. Fragen Sie mich nicht, was es ist. Es würde nicht lange dauern. Aber ich spüre, wenn ich das getan hätte, nur für einen Tag oder auch nur einen halben Tag, dann könnte ich in Ruhe sterben. Ich könnte mich dann leichter niederlassen und mich mit ganzem Herzen um diese armen verwirrten Menschen kümmern. Ja, das spüre ich deutlich.»

Als Angela an diesem Nachmittag davonfuhr, standen Tränen in ihren Augen. «Er soll seinen Ausflug haben, der Gute», sagte sie.

3

Von diesem Tag an und für viele Wochen hatte Angela eine neue Aufgabe. Dem gewohnten Tagesablauf zu Hause folgte sie mit einer Geistesabwesenheit und einer ungewohnt zurückhaltenden Höflichkeit, die Lady Moping zutiefst beunruhigten.

«Ich glaube, das Kind hat sich verliebt. Hoffentlich nicht in diesen ungehobelten Egbertson-Bengel.»

Sie las viel in der Bibliothek, sie nahm alle Besucher ins Kreuzverhör, die juristische oder medizinische Kenntnisse für sich in Anspruch nahmen, sie übte äußerste Geduld mit dem alten Sir Roderick Lane-Foscote, ihrem Abgeordneten. Wörter wie Nervenarzt, Anwalt oder Regierungsbeamter

"government official" now had for her the glamour that formerly surrounded film actors and professional wrestlers. She was a woman with a cause, and before the end of the hunting season she had triumphed. Mr Loveday achieved his liberty.

The doctor at the asylum showed reluctance but no real opposition. Sir Roderick wrote to the Home Office. The necessary papers were signed, and at last the day came when Mr Loveday took leave of the home where he had spent such long and useful years.

His departure was marked by some ceremony. Angela and Sir Roderick Lane-Foscote sat with the doctors on the stage of the gymnasium. Below them were assembled everyone in the institution who was thought to be stable enough to endure the excitement.

Lord Moping, with a few suitable expressions of regret, presented Mr Loveday on behalf of the wealthier lunatics with a gold cigarette case; those who supposed themselves to be emperors showered him with decorations and titles of honour. The warders gave him a silver watch and many of the non-paying inmates were in tears on the day of the presentation.

The doctor made the main speech of the afternoon. "Remember," he remarked, "that you leave behind you nothing but our warmest good wishes. You are bound to us by ties that none will forget. Time will only deepen our sense of debt to you. If at any time in the future you should grow tired of your life in the world, there will always be a welcome for you here. Your post will be open."

A dozen or so variously afflicted lunatics hopped

hatten für sie auf einmal eine Faszinationskraft, wie sie früher nur Filmschauspieler oder Berufsringkämpfer besaßen. Sie verfolgte jetzt ein Ziel, und noch ehe die Jagdsaison vorüber war, hatte sie gesiegt. Mr Loveday erhielt seine Freiheit.

Der Anstaltsarzt zögerte, leistete aber keinen ernsthaften Widerstand. Sir Roderick schrieb an das Innenministerium. Die nötigen Papiere wurden unterzeichnet, und schließlich kam der Tag, da Mr Loveday sich aus dem Heim verabschiedete, in dem er so viele nutzbringende Jahre verbracht hatte.

Sein Abschied wurde feierlich begangen. Angela und Sir Roderick Lane-Foscote saßen oben bei den Ärzten auf dem Podium der Turnhalle. Unten waren alle Heiminsassen versammelt, von denen man annahm, dass die Erregung sie nicht aus dem Gleichgewicht bringen würde.

Lord Moping sprach einige passende Worte des Bedauerns und überreichte Mr Loveday im Namen der wohlhabenderen Verrückten ein goldenes Zigarettenetui; diejenigen, die sich für Kaiser hielten, überhäuften ihn mit Orden und Ehrentiteln. Die Wärter schenkten ihm eine silberne Uhr, und viele der auf Staatskosten Behandelten vergossen Tränen, als sie überreicht wurde.

Der Arzt hielt die Hauptansprache dieses Nachmittags. «Denken Sie immer daran», sagte er, «dass alle, die Sie hier zurücklassen, Ihnen von Herzen alles Gute wünschen. Niemand wird je vergessen, was Sie mit uns verbindet. Der Dank, den wir Ihnen schulden, wird mit der Zeit nur noch größer. Wenn Sie irgendwann einmal des Lebens draußen in der Welt überdrüssig werden sollten, sind Sie hier jederzeit willkommen. Wir halten Ihnen einen Platz frei.»

Ungefähr ein Dutzend Geisteskranker mit unterschied-

and skipped after him down the drive until the iron gates opened and Mr Loveday stepped into his freedom. His small trunk had already gone to the station; he elected to walk. He had been reticent about his plans, but he was well provided with money, and the general impression was that he would go to London and enjoy himself a little before visiting his stepsister in Plymouth.

It was to the surprise of all that he returned within two hours of his liberation. He was smiling whimsically, a gentle, self-regarding smile of reminiscence.

"I have come back," he informed the doctor. "I think that now I shall be here for good."

"But, Loveday, what a short holiday. I'm afraid that you have hardly enjoyed yourself at all."

"Oh yes, sir, thank you, sir, I've enjoyed myself very much. I'd been promising myself one little treat, all these years. It was short, sir, but most enjoyable. Now I shall be able to settle down again to my work here without any regrets."

Half a mile up the road from the asylum gates, they later discovered an abandoned bicycle. It was a lady's machine of some antiquity. Quite near it in the ditch lay the strangled body of a young woman, who, riding home to her tea, had chanced to overtake Mr Loveday, as he strode along, musing on his opportunities.

lichen Symptomen hüpften und tanzten hinter ihm den Kiesweg entlang, bis das eiserne Tor sich öffnete und Mr Loveday in die Freiheit trat. Sein kleiner Koffer wartete bereits am Bahnhof, er selbst zog es vor, zu Fuß zu gehen. Über seine Pläne hatte er Schweigen bewahrt, aber er war reichlich mit Geld versorgt, und man nahm allgemein an, dass er nach London fahren und sich ein bisschen amüsieren würde, bevor er seine Stiefschwester in Plymouth besuchte.

Zur allgemeinen Überraschung kehrte er schon zwei Stunden nach seiner Freilassung zurück. Er lächelte leise, ein sanftes, nach innen gekehrtes Lächeln der Erinnerung.

«Da bin ich wieder», erklärte er dem Arzt. «Ich glaube, dass ich jetzt für immer hierbleiben werde.»

«Aber, Mr Loveday, so ein kurzer Urlaub? Ich fürchte, den haben Sie gar nicht richtig genießen können.»

«Oh doch, Sir, danke, Sir, ich habe das *sehr* genossen. In all den Jahren habe ich auf diesen großen Tag gewartet. Es war kurz, Sir, aber wirklich *sehr* schön. Jetzt kann ich mich ganz meiner Arbeit hier widmen, ohne Reue.»

Eine halbe Meile vom Anstaltstor entfernt fand man später an der Straße ein Fahrrad. Es war ein schon recht altes Damenrad. In seiner Nähe lag im Straßengraben die Leiche einer jungen Frau, die erwürgt worden war. Sie war auf dem Weg nach Hause zum Tee gewesen und hatte zufällig Mr Loveday überholt, der dort ging und darüber nachsann, welche Möglichkeiten sich ihm boten.

Kingsley Amis
Interesting Things

Gloria Davies crossed the road towards the Odeon
on legs that weaved a little, as if she was tipsy or
rickety. She wasn't either really; it was just the
high-heeled shoes, worn for the first time specially
for today. The new hoop earrings swayed from her
lobes, hitting her rhythmically on the jaws as she
walked. No. They were wrong. They had looked
fine in her bedroom mirror, but they were wrong,
somehow. She whipped them off and stuffed them
into her handbag. Perhaps there'd be a chance to
try them again later, when it was the evening.
They might easily make all the difference then.

She stopped thinking about the earrings when
she found she couldn't see Mr Huws-Evans anywhere in the crowd of people waiting for their
friends on the steps of the Odeon. She knew at
once then that he hadn't really meant it. After
all, what could an Inspector of Taxes (Assessment
Section) see in an eighteen-year-old comptometer
operator? How stuck-up she'd been, congratulat-
ing herself on being the first girl in the office Mr
Huws-Evans had ever asked out. Just then a tall
man who'd been standing close by took off his
beige mackintosh hat with a drill-like movement,
keeping his elbow close to his chest. It was Mr
Huws-Evans.

"Hallo, Gloria," he said. He watched her for a
bit, a smile showing round the curly stem of the

Kingsley Amis
Interessante Dinge

Gloria Davies überquerte die Straße in Richtung Odeon mit
etwas schwankenden Schritten, so als wäre sie beschwipst
oder rachitisch. Dabei war sie weder das eine noch das andere. Es lag einfach an den Schuhen mit den hohen Absätzen,
die sie aus Anlass des heutigen Tages zum ersten Mal trug.
Die großen Reifen ihrer neuen Ohrringe schlenkerten beim
Gehen und schlugen rhythmisch an ihren Unterkiefer.
Nein, sie waren unpassend. In ihrem Schlafzimmerspiegel
hatten sie gut ausgesehen, aber irgendwie waren sie jetzt
unpassend. Schnell streifte sie sie ab und verstaute sie in
ihrer Handtasche. Vielleicht ergab sich später, im Laufe des
Abends, eine Gelegenheit, sie zu tragen. Gut möglich, dass
sie dann umso besser wirkten.

Sie dachte nicht länger an ihre Ohrringe, als sie Mr Huws-
Evans in der Menschenmenge, die auf den Stufen vor dem
Odeon auf Freunde warteten, nirgends entdecken konnte.
Sofort war ihr klar, dass er es nicht ernst gemeint hatte.
Was sollte denn auch ein Finanzbeamter (Abteilung Steuer-
veranlagung) an einer Achtzehnjährigen finden, die die
Rechenmaschine bediente? Wie ihr das in den Kopf gestie-
gen war, das erste Mädchen im Büro zu sein, mit dem sich
Mr Huws-Evans je verabredet hatte! Genau in diesem
Augenblick nahm ein großer Mann, der dicht neben ihr
gestanden hatte, mit einer militärischen Geste seinen beige-
farbenen Regenhut ab, wobei er den Ellenbogen dicht am
Körper hielt. Es war Mr Huws-Evans.

«Hallo, Gloria», sagte er. Er sah sie einen Augenblick
lang an, und um das Mundstück der gebogenen Pfeife, das

pipe he was biting. Then he added: "Didn't you recognise me, Gloria?"

"Sorry, Mr Huws-Evans, I sort of just didn't see you." The hat and the pipe had put her off completely, and she was further confused by being called Gloria twice already.

He nodded, accepting her apology and explanation. He put his hat on again with a ducking gesture, then removed his pipe. "Shall we go in? Don't want to miss the News."

While Mr Huws-Evans bought two two-and-fourpennies Gloria noticed he was carrying a string bag full of packets of potato crisps. She wondered why he was doing that.

It was very dark inside the cinema itself, and Mr Huws-Evans had to click his fingers for a long time, and tremendously loudly, before an usherette came. The Odeon was often full on a Saturday when the football team was playing away, and Gloria and Mr Huws-Evans couldn't help pushing past a lot of people to get to their seats. A good deal of loud sighing, crackling of sweet-packets and uncoiling of embraces marked their progress. At last they were settled in full view of the screen, on which the Duke of Edinburgh was playing polo. Mr Huws-Evans asked Gloria loudly whether she could see all right, and when she whispered that she could he offered her a chocolate. "They're rather good," he said.

Almost nothing happened while the films were shown. The main feature was on first. As soon as Gloria could tell that it was old-fashioned she was

er zwischen die Zähne geklemmt hatte, zeigte sich ein Lächeln. Dann setzte er hinzu: «Haben Sie mich denn nicht erkannt, Gloria?»

«Tut mir leid, Mr Huws-Evans, ich hab Sie irgendwie nicht gesehen.» Mit dem Hut und der Pfeife hatte sie nicht gerechnet, und dass er sie schon zweimal Gloria genannt hatte, brachte sie noch mehr durcheinander.

Er nahm ihre Entschuldigung und Erklärung nickend entgegen. Dann setzte er mit einer Bewegung, als ob er sich bückte, den Hut wieder auf und nahm seine Pfeife aus dem Mund. «Sollen wir hineingehen? Ich möchte die Wochenschau nicht verpassen.»

Während Mr Huws-Evans zwei Karten zu zwei Shilling vier Pence kaufte, stellte Gloria fest, dass er ein Einkaufsnetz voller Kartoffelchipstüten bei sich trug. Sie wunderte sich, warum er das wohl tat.

Im Zuschauerraum war es stockfinster, und Mr Huws-Evans musste lange und sehr laut mit den Fingern schnipsen, bis eine Platzanweiserin kam. Das Odeon war an den Samstagen, an denen die Fußballmannschaft auswärts spielte, oft voll und Gloria und Mr Huws-Evans mussten sich wohl oder übel an vielen Leuten vorbeizwängen, um zu ihren Plätzen zu gelangen. Ihr Weg wurde von lauten Seufzern, dem Knistern von Bonbonpapier und der Trennung inniger Umarmungen begleitet. Endlich setzten sie sich, mitten vor der großen Leinwand, auf der der Herzog von Edinburgh gerade Polo spielte. Mr Huws-Evans erkundigte sich laut, ob Gloria gut sehen könne, und als sie das flüsternd bejahte, bot er ihr eine Praline an. «Die sind wirklich gut», sagte er.

Während die Filme gezeigt wurden, passierte fast nichts. Der Hauptfilm lief zuerst. Sobald sie bemerkte, dass es ein altmodischer Film war, befürchtete Gloria, dass er langwei-

afraid she wouldn't enjoy. it. Nobody did anything in it, they just talked. Some of the talking made Mr Huws-Evans laugh for a long time at a time, and once or twice he nudged Gloria. When he did this she laughed too, because it was up to her to be polite and not spoil his pleasure. The film ended with a lot of fuss about a Gladstone bag and people falling into each other's arms in a daft, put-on way.

Gloria kept wondering if Mr Huws-Evans was going to put his arm around her. She'd never yet gone to the pictures in male company without at least this happening, and usually quite a lot more being tried on, but somehow Mr Huws-Evans didn't seem the man for any of that. He was older than her usual escorts, to start with, and to go on with there was something about that mackintosh hat and that string bag which made it hard to think of him putting his arm round anyone, except perhaps his mother. Once she caught sight of his hand dangling over the arm of the seat towards her, and she moved her own hand carefully so that he could take hold of it easily if he wanted to, but he didn't. He leaned rather closer to her to light her cigarettes than he strictly needed to, and that was all.

After a pair of tin gates had been shown opening in a slow and dignified way, there was about half an hour of advertisements while everybody whistled the tunes that were playing. The cereals and the detergents came up, then a fairly long and thorough episode about razor-blades. During it Mr Huws-Evans suddenly said: "It's a damned scandal, that business."

lig sein würde. Niemand tat etwas, alle redeten nur. Über einiges von dem, was geredet wurde, musste Mr Huws-Evans jeweils lange lachen, und ein oder zweimal stieß er Gloria an. Dann lachte sie auch, denn sie musste schließlich höflich sein und durfte ihm nicht den Spaß verderben. Der Film endete mit viel Getue um eine große Reisetasche und damit, dass die Leute einander auf alberne und gekünstelte Weise um den Hals fielen.

Gloria musste die ganze Zeit denken, ob Mr Huws-Evans wohl seinen Arm um sie legen würde. Sie war noch nie mit einer männlichen Person im Kino gewesen, ohne dass es mindestens dazu gekommen wäre, und meistens wurde noch sehr viel mehr versucht, aber irgendwie schien Mr Huws-Evans für so was nicht der Typ zu sein. Er war erstens älter als ihre üblichen Begleiter, und dann war da etwas an diesem Regenhut und dem Einkaufsnetz, das es einem schwer machte sich vorzustellen, dass er seinen Arm um irgendwen legen könnte außer vielleicht um seine Mutter. Einmal sah sie seine Hand neben sich über die Sitzlehne baumeln, und sie schob ihre Hand vorsichtig näher, so dass er sie leicht ergreifen konnte, falls er das wollte, aber er wollte nicht. Wenn er ihr Feuer gab, lehnte er sich weiter als unbedingt nötig zu ihr herüber, aber das war auch alles.

Auf der Leinwand erschienen zwei Blechtore, die sich langsam und würdevoll öffneten, und dann gab es ungefähr eine halbe Stunde lang Werbung, und alle pfiffen die Melodien mit, die gespielt wurden. Erst kamen die Frühstücksflocken und Spülmittel und dann eine ziemlich lange und ausführliche Episode über Rasierklingen. Mitten hinein sagte Mr Huws-Evans plötzlich: «Das Ganze ist doch eine Affenschande!»

"What's that, then?"

"Well, all this business about the modern shave. All these damned gadgets and things. It's just a way of trying to get you to use a new blade every day, that's all."

"Oh, I get you. You mean because the –"

"Mind you, with the kind of blade some of these firms turn out you've got to use a new blade. I grant them that." He laughed briefly. "If you don't want to skin yourself getting the beard off, that is. And of course they don't give a damn how much they spend on publicity. It's all off tax. Doesn't really cost them a bean."

Gloria was going to say "How's that, then?" but Mr Huws-Evans's manner, that of one with a comprehensive explanation on instant call, warned her not to. She said instead: "No, of course it doesn't."

He looked at her with mingled scepticism and wistfulness, and ended the conversation by saying violently: "Some of these firms."

While the lights went down again, Gloria thought about this brief exchange. It was just the kind of talk older men went in for, the sort of thing her father discussed with his buddies when they called to take him down to the pub, things to do with the Government and pensions and jobs and the Russians, things that fellows who went dancing never mentioned. She saw, on the other hand, that that kind of talk wasn't only tied up in some way with getting old, it also had to do with having money and a car, with speaking properly and with being important. So a girl would show

«Wie? Was denn?»

«Na, dieses ganze Gerede über die zeitgemäße Rasur.
All dieser dämliche Firlefanz. Damit wollen sie doch
nur erreichen, dass man jeden Tag eine neue Klinge benutzt.»

«Ach, jetzt verstehe ich. Sie meinen, weil …»

«Aber klar, bei den Klingen gewisser Firmen ist man
ja gezwungen, jedes Mal eine neue zu nehmen. Das gebe
ich gerne zu.» Er lachte kurz auf. «Wenn man sich nicht
mit dem Bart auch noch die Haut abschaben will. Und es
ist denen natürlich völlig egal, wieviel sie für Werbung
ausgeben. Wird alles von der Steuer abgesetzt. Kostet sie
keinen Pfennig.»

Beinahe hätte Gloria gefragt «Wieso das denn?», aber
die Art, wie Mr Huws-Evans das gesagt hatte – wie jemand,
der für alles eine umfassende Erklärung parat hat –, hielt
sie davon ab, und so sagte sie nur: «Nein, natürlich nicht.»

Er sah sie halb misstrauisch, halb anerkennend an und
beendete das Gespräch mit einem verächtlichen «Schöne
Firmen sind das!»

Als es wieder dunkel wurde, dachte Gloria über diesen
kurzen Wortwechsel nach. Über so was redeten ältere
Männer gerne, zum Beispiel ihr Vater und seine Kumpel,
wenn sie ihn abholten, um in die Kneipe zu gehen; dann
redeten sie über Dinge wie die Regierung und Renten und
Arbeit und die Russen – alles Dinge, die die Jungs, die
mit ihr zum Tanzen gingen, nie erwähnten. Andererseits
war ihr klar, dass solche Gespräche nicht nur irgendwie
mit Älterwerden zusammenhingen, sondern dass sie auch
etwas mit Geld und einem Auto zu tun hatten und damit,
dass man sich richtig ausdrücken konnte und etwas dar-
stellte. Ein Mädchen würde also den Eindruck erwecken,

herself up for a lump with no conversation and bad manners if she gave away to an older man the fact that uninteresting things didn't interest her. Next time Mr Huws-Evans got on to them she must do better.

The second film promised to be full of interesting things. There were some lovely dresses, the star looked just like another star Gloria had often wished she looked like, and there was a scene in a kind of flash nightclub with dim lights, men in tail coats and a modern band. The star was wearing a terrific evening dress with sequins and had a white fur round her shoulders. A man with a smashing profile sitting at the bar turned and saw her. Her eyes met his for a long moment. Gloria swallowed and leant forward in her seat.

Mr Huws-Evans nudged Gloria and said: "Don't think much of this, do you? What about some tea?"

"Oh, we haven't got to go yet, have we?"

"Well, we don't want to sit all through this, do we?"

Gloria recollected herself. "No, right you are, then."

They moved effortfully back along the row, taking longer this time because some of the embraces were slower in uncoiling. In the foyer, Gloria said: "Well, thank you very much, Mr Huws-Evans, I enjoyed the film ever so much," but he wasn't listening; he was looking wildly about as if he'd just found himself in a ladies' cloakroom, and beginning to say: "The crisps. I've left them inside."

"Never mind, don't you worry, it won't take a minute fetching them. I don't mind waiting at all."

dass sie ein ungebildeter, schlecht erzogener Trampel war, wenn sie einen älteren Mann erkennen ließ, dass sie sich für uninteressante Dinge nicht interessierte. Wenn Mr Huws-Evans das nächste Mal von so etwas anfing, musste sie sich mehr Mühe geben.

Der nächste Film versprach voller interessanter Dinge zu sein. Es gab einige entzückende Kleider, der Star sah einem anderen Star ähnlich, dem Gloria gerne ähnlich gesehen hätte, und eine Szene spielte in einer Art schickem Nachtclub mit schummriger Beleuchtung, Männern im Frack und einer modernen Band. Der Star trug ein bezauberndes, mit Pailletten besetztes Abendkleid und eine weiße Stola um die Schultern. Ein Mann mit einem hinreißenden Profil, der an der Bar saß, drehte sich um, und als er sie sah, tauschten sie für einen langen Moment Blicke aus. Gloria musste schlucken und lehnte sich nach vorne.

Mr Huws-Evans stieß Gloria an und sagte: «Ich finde das öde. Sie auch? Wie wär's mit einem Tee?»

«Ach, müssen wir denn schon gehen?»

«Na, wir wollen uns das doch nicht bis zu Ende ansehen, oder?»

Gloria nahm sich zusammen. «Nein. Also dann.»

Mühsam zwängten sie sich durch die Sitzreihe, und diesmal dauerte es länger, denn einige innige Umarmungen lösten sich nicht so schnell. Im Foyer sagte Gloria: «Also, vielen Dank, Mr Huws-Evans, der Film war wirklich sehr schön», aber er hörte gar nicht hin. Er sah sich aufgeregt um, als hätte er gerade festgestellt, dass er in eine Damentoilette geraten war, und stieß hervor: «Die Chips! Ich habe sie liegenlassen.»

«Halb so schlimm, keine Sorge, es wird keine Minute dauern, sie zu holen. Es macht mir nichts aus, zu warten.»

He stared out at her from under the mackintosh hat, which he'd pulled down for some reason so that it hid his eyebrows. "I shan't be able to remember the seat. You come too, Gloria. Please."

After a lot more finger-clicking inside they found the row. In the beam of the usherette's torch Gloria saw that their seats were already occupied. Even more slowly than before, Mr Huws-Evans began shuffling sidelong away from her; there was some disturbance. Gloria, waiting in the aisle, turned and looked at the screen. The man with the profile was dancing with the star now and all the other people had gone back to their tables and were watching them. Gloria watched them too, and had forgotten where she was when a moderate uproar slowly broke out and slowly moved towards her. It was Mr Huws-Evans with the crisps, which were rustling and crunching like mad. Men's voices were denouncing him, some of them loudly and some of the loud ones using words Gloria didn't like, in fact one word was the word she called "that word." Her cheeks went hot. Mr Huws-Evans was saying things like "Very sorry, old boy" and "Hurts me as much as it hurts you," and every so often he laughed cheerily. Everywhere people were calling "Ssshh." Gloria couldn't think of anything to do to help.

A long time later they were outside again. It was clear at once that the rain had stopped holding off hours ago. Mr Huws-Evans took her arm and said they'd better run for it, and that was what they did. They ran a long way for it, and fast too, so that the high heels were doing some terrible slipping and skidding. Opposite Woolworth's Gloria nearly did the splits, but Mr Huws-Evans prevented that, and was just as

Er starrte sie an, den Regenhut aus irgendeinem Grund bis über seine Augenbrauen heruntergezogen. «Ich werde den Platz nicht mehr finden. Kommen Sie mit, Gloria. Bitte.»

Drinnen war noch mehr Fingerschnipsen nötig, bis sie ihre Sitzreihe fanden. Im Schein der Taschenlampe der Platzanweiserin sah Gloria, dass ihre Plätze schon wieder besetzt waren. Noch langsamer als zuvor bewegte sich Mr Huws-Evans seitwärts von ihr fort. Es gab einige Proteste. Gloria wartete im Seitengang und blickte zur Leinwand. Der Mann mit dem Profil tanzte jetzt mit dem Star, und alle anderen waren an ihre Tische zurückgekehrt und sahen den beiden zu. Gloria sah ihnen auch zu und hatte ganz vergessen, wo sie war, als ein kleines Getöse losbrach und langsam auf sie zukam. Es war Mr Huws-Evans mit den Chips, die wie verrückt knisterten und raschelten. Männerstimmen beschimpften ihn, manche laut, und einige der lauten Stimmen verwendeten Wörter, die Gloria nicht mochte, es war sogar das Wort dabei, das Gloria nur «dieses Wort» nannte. Ihr Gesicht glühte. Mr Huws-Evans sagte Dinge wie «Tut mir sehr leid, alter Junge» und «Mir tut's genau so weh wie Ihnen», und ab und zu lachte er fröhlich. Überall machten die Leute «Pssst!» Gloria fiel nichts ein, was sie hätte tun können, um zu helfen.

Es verging viel Zeit, bis sie wieder draußen waren. Sofort war klar, dass es schon seit Stunden nicht mehr nur zu regnen drohte. Mr Huws-Evans ergriff ihren Arm und sagte, es bliebe ihnen wohl nichts anderes übrig, als zu rennen, und das taten sie dann auch. Sie rannten ein gutes Stück, und zwar schnell, sodass Gloria mit ihren hohen Absätzen schrecklich ins Rutschen und Schlingern kam. Gegenüber von Woolworth hätte sie um ein Haar einen Spagat gemacht,

effective when she started a kind of sliding football tackle towards a lady in bifocal glasses carrying a little boy. That was just outside Bevan &
Bevan's, and Gloria didn't mind it much because
she'd guessed by now that they were going to
Dalessio's, a fairly flash Italian restaurant frequent-
ed by the car-owning classes – unless, of course,
they were making for Cwmbwrla or Portardulais
on foot.

There was a queue in Dalessio's and Gloria
panted out the news that she was going to the
cloakroom, where there was another, but shorter,
queue. While she waited her turn she felt her hair,
which must have been looking dreadful, and
wondered about her face, to which she'd applied
some of the new liquid make-up everyone was
talking about. She was glad to find, in due time,
that she hadn't been looking too bad. Touching up
with the liquid stuff didn't quite provide the amazing matt finish the advertisements described,
in fact she wondered if she didn't look a bit like
one of the waxworks she'd seen that time in
Cardiff, but there was no time to re-do it and it
must surely wear off a little after a bit. She gazed
longingly at the earrings in her bag, and at the new
mascara kit, but these must certainly wait. Taking
a last peep at herself, she reflected gratefully,
as her father had often exhorted her to do, that
she was very lucky to be quite pretty and have
all that naturally curly naturally blonde hair.

Mr Huws-Evans had a table for two when
she joined him. He took the bag of crisps off her

aber Mr Huws-Evans konnte das verhindern, und er war genauso geschickt, als sie zu einer Art Fußballergrätsche gegen die Beine einer Dame mit einer Bifokalbrille ansetzte, die einen kleinen Jungen trug. Das war vor Bevan & Bevan's, aber Gloria machte das nicht viel aus, denn inzwischen ahnte sie, dass sie auf dem Weg zu Dalessio's waren, einem ziemlich feinen italienischen Restaurant, das von der autobesitzenden Klasse frequentiert wurde – sofern diese nicht zu Fuß ins Cwmbwrla oder Portardulais ging.

Bei Dalessio's standen die Leute Schlange, und Gloria teilte keuchend mit, dass sie mal für kleine Mädchen müsse. Auch dort gab es eine Schlange, die aber kürzer war. Während sie wartete, bis sie an der Reihe war, befühlte sie ihre Frisur, die vermutlich schrecklich aussah, und sie sorgte sich um ihr Gesicht. Sie hatte dieses neue flüssige Make-up benutzt, von dem jetzt überall die Rede war. Kurz darauf konnte sie dann aber erleichtert feststellen, dass sie gar nicht so schlimm ausgesehen hatte. Die Nachbesserung mit dem flüssigen Zeug erzeugte zwar nicht den phantastischen matten Teint, von dem in der Werbung die Rede war, und sie dachte sogar, dass sie ein bisschen wie diese Wachsfiguren wirkte, die sie mal in Cardiff gesehen hatte, aber jetzt war keine Zeit, noch mal von vorne anzufangen, und nach einer Weile würde sich das sicherlich geben. Sie warf einen sehnsüchtigen Blick auf die Ohrringe in ihrer Handtasche und auf die Wimperntusche, aber das musste warten. Als sie ihr Aussehen noch ein letztes Mal überprüfte, musste sie an ihren Vater denken, der sie immer wieder mahnend daran erinnert hatte, dass sie froh und dankbar sein könne, ganz hübsch auszusehen und Haar zu haben, das von Natur aus blond und gelockt war.

Als sie zurückkehrte, hatte Mr Huws-Evans einen Tisch für zwei ergattert. Er nahm das Netz mit den Kartoffel-

chair and laid them reverently at his side. Gloria
thought he seemed very attached to them. What
did he want them for, and so many of them too?
It was a puzzle. Perhaps he guessed her curiosity,
because he said: "They're for the party. They said
I was to get them."

"Oh, I see. Who'll be there? At the party? You
did tell me when you asked me, but I'm afraid I've
forgotten."

"Not many people you'll know, I'm afraid.
There'll be Mr Pugh, of course, from Allowances,
and his wife, and Miss Harry from Repayments,
and my brother – you've met him, haven't you? –
and my dentist and his, er, and his friend, and two
or three of my brother's friends. About a dozen
altogether."

"It sounds lovely," Gloria said. A little tremor
of excitement ran through her; then she remembered about poise. She arranged herself at the table
like one of the models who showed off jewellery
on TV, and purposely took a long while deciding
what to have when the waitress came, though she'd
known ever since passing Bevan & Bevan's that she
was going to have mixed grill, with French fried
potatoes. She was soon so lost in thoughts of the
party and in enjoying eating that it was like a voice
in a dream when Mr Huws-Evans said:

"Of course, the real difficulties come when we
have to decide whether something's income or
capital."

Gloria looked up, trying not to seem startled.
"Oh yes."

chips von ihrem Stuhl und legte es behutsam neben sich. Gloria dachte, dass sie ihm wohl viel bedeuteten. Aber wofür brauchte er sie, und gleich so viele? Es war ihr ein Rätsel. Als hätte er ihre Neugier erraten, sagte er: «Die sind für die Party. Sie haben gesagt, ich sollte welche besorgen.»

«Ah ja. Wer wird denn alles da sein? Auf der Party? Sie haben's mir zwar gesagt, als Sie mich eingeladen haben, aber ich hab's leider vergessen.»

«Ich fürchte, Sie werden die wenigsten kennen. Natürlich wird Mr Pugh da sein, aus der Abteilung Freibeträge, mit seiner Frau, und Miss Harry von den Rückerstattungen und mein Bruder – den kennen Sie doch, oder? – und mein Zahnarzt mit seiner … äh … seiner Freundin und zwei oder drei Freunde meines Bruders. Insgesamt vielleicht ein Dutzend.»

«Das klingt wunderbar», sagte Gloria. Ein Schauer der Vorfreude überlief sie; aber dann ermahnte sie sich, Haltung zu bewahren. Sie setzte sich am Tisch zurecht wie eins von diesen Models im Fernsehen, die Schmuck vorführten, und ließ sich bewusst viel Zeit, als die Bedienung kam, um die Bestellung aufzunehmen, obwohl ihr schon klar war, seit sie an Bevan & Bevan's vorbeikamen, dass sie die Grillplatte mit Pommes frites nehmen würde. Sie war so mit ihren Gedanken an die Party und dem guten Essen beschäftigt, dass es ihr wie eine Stimme in einem Traum vorkam, als Mr Huws-Evans sagte:

«Richtig schwierig wird es natürlich, wenn wir entscheiden müssen, ob es sich um Einkünfte oder Kapital handelt.»

Gloria sah auf und gab sich Mühe, nicht erschrocken zu wirken. «Oh ja.»

"For instance," Mr Huws-Evans went on, drawing a long fishbone from his mouth, "take the case of a man who buys a house, lives in it for a bit and then sells it. Any profit he might make wouldn't be assessable. It's capital, not income."

"So he wouldn't have to pay tax on it, is that right?"

"Now for goodness' sake don't go and get that mixed up with the tax on the property itself, the Schedule A tax."

"Oh yes, I've heard of that. There were some figures –"

"That still has to be paid." He leaned forward in an emphatic way. "Unless the man is exempt, of course."

"Oh yes."

"Now it'd be much easier, as you can imagine, to catch him on the sale of several houses. But even then we'd need to show that there was a trade. If the chap simply buys them as investments, just to get the rents, well then you couldn't catch him if he sold out later at a profit. There'd be no trade, you see."

"No." Gloria swallowed a mushroom-stalk whole. "No trade."

"That's right." He nodded and seemed pleased, then changed his tone to nonchalant indulgence. "Mind you, even the profit on an isolated transaction could be an income profit. There was the case of three chaps who bought some South African brandy, had it shipped over here and blended with French brandy, and sold it at a pro-

«Nehmen wir zum Beispiel», fuhr Mr Huws-Evans fort, während er eine lange Gräte aus seinem Mund entfernte, «den Fall eines Mannes, der ein Haus kauft, eine Weile darin wohnt und es dann verkauft. Der Gewinn, den er dabei macht, wäre nicht steuerpflichtig. Es handelt sich ja um Kapital, nicht um Einnahmen.»

«Er müsste dafür also keine Steuern zahlen, richtig?»

«Sie dürfen das aber um Himmels willen nicht mit der Steuer auf das Eigentum selbst verwechseln, der Steuer nach Tabelle A.»

«Ja, ich hab schon davon gehört. Ich musste mal ein paar Zahlen …»

«Die muss auf jeden Fall bezahlt werden.» Er beugte sich energisch nach vorne. «Es sei denn, der Mann wäre davon befreit.»

«Ah ja.»

«Sie können sich denken, dass es viel leichter ist, ihn dranzukriegen, wenn er mehrere Häuser verkauft. Aber selbst dann müssten wir beweisen, dass er das gewerbsmäßig tut. Wenn der Kerl sie als Investitionsobjekte kauft, nur wegen der Mieteinnahmen – tja, dann kann man ihn nicht drankriegen, auch wenn er sie später mit Gewinn verkauft. Er täte das ja nicht gewerbsmäßig, verstehen Sie.»

«Nein.» Gloria schluckte ein großes Pilzstück unzerkaut herunter. «Nicht gewerbsmäßig.»

«Genau.» Er nickte und sah zufrieden aus, dann wurde sein Ton leutselig. «Wohlgemerkt, auch der Gewinn aus einer einzelnen Transaktion kann manchmal einkommensrelevant sein. Da gab es mal den Fall von drei Typen, die in Südafrika Brandy gekauft hatten, ihn hierher verschiffen ließen, ihn mit französischem Brandy verschnitten und ihn dann mit Gewinn verkauften. Aber das Gericht entschied,

fit. But the Court still said there was a trade. They'd set up a selling organisation."

"Ah, I get it."

"You'll be perfectly all right just so long as you remember that income tax is a tax on income."

Gloria felt a little dashed when Mr Huws-Evans found nothing to add to this last maxim. She hadn't spoken up enough and shown she was taking an interest. He couldn't just go on talking, with nobody helping to make it a proper conversation. And yet – what could she have said? It was so hard to think of things.

Mr Huws-Evans launched off again soon and she cheered up. He questioned her about herself and her parents and friends and what she did in the evenings. He watched her with his big brown eyes and tended to raise his eyebrows slowly when she got near the end of each bit she said. Then, before asking his next question, he'd let his eyes go vacant, and drop his jaw without opening his mouth at all, and nod slightly, as if each reply of hers was tying up, rather disturbingly, with some fantastic theory about her he'd originally made up for fun: that she was a Communist spy, say, or a goblin in human form. During all this he dismantled, cleaned, reassembled, filled and lit his pipe, finally tamping down the tobacco with his thumb and burning himself slightly.

At last it was time to go. In the street Gloria said: "Well, thank you very much, Mr Huws-Evans, I enjoyed the food ever so much," but he wasn't listening; he was rubbing his chin hard

dass sie das gewerbsmäßig taten. Sie hatten eine Handelsgesellschaft gegründet.»

«Ah, verstehe.»

«Sie liegen immer richtig, solange Sie sich merken, dass Einkommensteuer eine Besteuerung des Einkommens ist.»

Gloria geriet leicht in Panik, als Mr Huws-Evans auf diese Maxime nichts mehr folgen ließ. Sie hatte sich zu selten am Gespräch beteiligt und Interesse bekundet. Er konnte ja nicht dauernd alleine reden. Jemand musste ihm helfen, dass es eine richtige Konversation wurde. Aber – was hätte sie denn sagen sollen? Es war ja so schwer, sich etwas einfallen zu lassen.

Doch schon bald legte Mr Huws-Evans wieder los, und Gloria war erleichtert. Er stellte ihr Fragen zu ihrer Person und ihren Eltern und Freunden, und was sie abends so machte. Er beobachtete sie dabei mit seinen großen braunen Augen und zog jedes Mal die Augenbrauen langsam hoch, wenn eine ihrer Antworten dem Ende entgegenging. Bevor er dann seine nächste Frage stellte, wurde sein Blick glasig und sein Unterkiefer sank herab, ohne dass sein Mund sich öffnete, und er nickte leicht, so als bestätigte das, was sie gesagt hatte, auf geradezu beängstigende Weise irgendein Phantasiebild von ihr, das er sich ursprünglich rein aus Spaß zurechtgezimmert hatte: dass sie beispielsweise eine kommunistische Spionin oder ein Kobold in Menschengestalt sei. Währenddessen zerlegte und reinigte er seine Pfeife, setzte sie wieder zusammen, stopfte sie, zündete sie an und drückte den Tabak mit dem Daumen herunter, wobei er sich leicht verbrannte.

Schließlich war es Zeit zu gehen. Draußen auf der Straße sagte Gloria: «Also, vielen Dank, Mr Huws-Evans, das Essen war wirklich sehr schön», aber er hörte gar nicht hin.

with some of his fingers, and beginning to say:
"Shave. Got to have a shave before the party. That
blade this morning."

They boarded a bus and went a long way on it.
Mr Huws-Evans explained, quoting figures, that
a taxi wasn't worth while and that he personally
was damned if he was going to lay out all that cash
on a car simply to make a splash and impress a
few snobs. He paid the conductor with coins from
a leather purse that did up with two poppers. This
purse, Gloria thought, was somehow rather like
the mackintosh hat and the string bag with the
crisps. After doing up the purse and putting it safely away Mr Huws-Evans said that his digs, where
the shave was going to happen, were quite near Mr
Pugh's house, which was where the party was going to happen. He added that this would give them
just nice time.

They got off the bus and walked for a few minutes. The rain had stopped and the sun was out.
Gloria cheered up again, and didn't notice at first
when Mr Huws-Evans suddenly stopped in the
middle of the pavement. He was looking about in
rather the same way as he'd done in the foyer of
the Odeon. He said: "Funny. I could have sworn."

"What's the matter, then?"

"Can't seem to remember the right house. Ridicu-
lous of me, isn't it? Just can't seem to remember at all."

"Not your digs it isn't, where you can't remember, is it?"

"Well yes, my digs. This is it. No, there's no TV
aerial."

Er fuhr sich mit den Fingern übers Kinn und sagte: «Rasieren. Muss mich rasieren, bevor wir zu dieser Party gehen. Diese Klinge heute morgen.»

Sie stiegen in einen Bus und fuhren eine lange Strecke. Mr Huws-Evans erklärte ihr, indem er Zahlen nannte, dass ein Taxi sich seiner Meinung nach nicht lohne und dass ihn der Teufel holen solle, wenn er so viel Geld für ein Auto ausgäbe, nur zum Vergnügen und um auf ein paar Snobs Eindruck zu machen. Das Geld für den Schaffner holte er aus einer Lederbörse, die mit zwei Druckknöpfen verschlossen wurde. Diese Börse, dachte Gloria, passte irgendwie zu dem Regenhut und dem Einkaufsnetz mit den Kartoffelchips. Nachdem er die Börse wieder verschlossen und sicher verstaut hatte, erklärte Mr Huws-Evans, dass seine möblierte Wohnung, wo er sich zu rasieren gedachte, sich ganz in der Nähe von Mr Pughs Haus befinde, wo die Party stattfinden sollte. Danach lägen sie, fügte er hinzu, noch gut in der Zeit.

Sie stiegen aus und gingen einige Minuten zu Fuß. Der Regen hatte aufgehört, und die Sonne schien wieder. Gloria fühlte sich besser und bemerkte es zuerst gar nicht, als Mr Huws-Evans plötzlich mitten auf dem Bürgersteig stehenblieb. Er sah sich um, so ähnlich, wie er es im Foyer des Odeon getan hatte. «Komisch», sagte er, «ich hätte schwören können …»

«Was ist denn?»

«Kann mich nicht erinnern, welches Haus es ist. Kaum zu glauben, was? Kann mich einfach nicht erinnern.»

«Doch nicht etwa, wo Sie wohnen, oder? Haben Sie das vergessen?»

«Doch, ja, wo ich wohne. Hier ist es. Nein, da ist keine Fernsehantenne.»

"Never mind, what's the number?"

"That's the silly part. I don't know the number."

"Oh, but you must. How ever do you manage with letters and things? Come on, you must know. Try and think, now."

"No good. I've never known it."

"What?"

"Well, you see, the landlady's got one of those stamp things to stamp the address at the top of the notepaper and I always use that. And then when I get a letter I just see it's for me and that's all I bother about, see?" He said most of this over his shoulder in the intervals of trying to see through some lace curtains. Then he shook his head and walked on, only to bend forward slightly with hands on knees, like a swimmer waiting for the starting-pistol, and stare at a photograph of a terrier which someone had arranged thoughtfully turned outward, on a windowsill. "The number's got a three in it, I do know that," he said then. "At least I think so."

"How do you manage as a rule?"

"I know the house, you see."

Mr Huws-Evans now entered a front garden and put his eye to a gap in the curtains. Quite soon a man in shirtsleeves holding a newspaper twitched the curtain aside and stood looking at him. He was a big man with hair growing up round the base of his neck, and you could guess that he worked at some job where strength was important. Mr Huws-Evans came out of the garden, latching its gate behind him. "I don't think that's the one," he said.

«Egal. Welche Hausnummer ist es denn?»

«Das ist ja das Komische. Ich weiß die Nummer nicht.»

«Aber das kann doch nicht sein. Was machen Sie denn mit Briefen und so was? Kommen Sie, Sie müssen die Nummer doch kennen. Versuchen Sie, sich zu erinnern.»

«Zwecklos, ich hab sie nie gewusst.»

«Wie bitte?»

«Na ja, wissen Sie, meine Hauswirtin hat so einen Stempel, mit dem sie die Adresse auf ihr Schreibpapier druckt, und den benutze ich immer. Und wenn ich einen Brief bekomme, dann sehe ich ja gleich, dass er für mich ist, und um mehr kümmere ich mich nicht, verstehen Sie?» Das meiste davon sagte er über seine Schulter, während er immer wieder versuchte, hinter irgendwelche Spitzengardinen zu spähen. Dann schüttelte er den Kopf und ging weiter, aber gleich darauf beugte er sich vor, die Hände auf den Knien wie ein Schwimmer, der auf den Startschuss wartet, und starrte das Foto eines Terriers an, das jemand dankenswerterweise so ins Fenster gestellt hatte, dass es von draußen zu sehen war. «In der Hausnummer kommt eine Drei vor, soviel weiß ich», sagte er dann. «Ich glaube es zumindest.»

«Wie finden Sie sich denn sonst zurecht?»

«Ich erkenne das Haus einfach wieder.»

Mr Huws-Evans betrat jetzt einen Vorgarten und lugte durch eine Lücke im Vorhang. Kurz darauf zog ein Mann in Hemdsärmeln, der eine Zeitung in der Hand hielt, den Vorhang mit einem Ruck beiseite und starrte ihn an. Es war ein stämmiger Mann mit Haaren am Halsansatz, und man sah, dass er wohl einen Beruf hatte, in dem es auf Muskelkraft ankam. Mr Huws-Evans kehrte aus dem Vorgarten zurück und schloss das Tor hinter sich. «Ich glaube nicht, dass es hier ist», sagte er.

"Come on, why not just knock somewhere and ask?"

"Can't do that. They'd think I was barmy."

Eventually Mr Huws-Evans recognised his house by its bright red door. "Eighty-seven," he murmured, studying the number as he went in. "I must remember that."

Gloria sat in the sitting-room, which had more books in it than she'd ever seen in a private house before, and looked at the book Mr Huws-Evans had dropped into her lap before going up to have his shave. It was called *Income Taxes in the Commonwealth*, and he'd said it would probably interest her.

She found it didn't do that and had gone to see if there were any interesting books in the bookcase when the door opened and an old lady looked in. She and Gloria stared at each other for about a minute, and Gloria's cheeks felt hot again. The old lady's top lip had vertical furrows and there was something distrustful about her. She gave a few grunts with a puff of breath at the beginning of each one, and went out. Gloria didn't like to touch the bookcase now and told herself that the party would make everything worth while.

When Mr Huws-Evans came back he had a big red patch on his neck. "These razor-blade firms," he said bitterly, but made no objection when Gloria asked if she could go and wash her hands. He even came to the foot of the stairs to show her the right door.

The liquid make-up looked fine, the mascara went on like distemper on a wall and the earrings were just right now. She only hoped her white

«Klopfen Sie doch einfach irgendwo an und fragen Sie.»

«Ausgeschlossen. Die würden mich doch für verrückt halten.»

Schließlich erkannte Mr Huws-Evans sein Haus an der leuchtend roten Haustür wieder. Beim Hineingehen sah er die Hausnummer aufmerksam an. «Siebenundachtzig», murmelte er. «Muss ich mir merken.»

Gloria saß im Wohnzimmer, in dem es mehr Bücher gab, als sie je in einem Privathaus gesehen hatte, und betrachtete das Buch, das Mr Huws-Evans ihr in den Schoß gelegt hatte, bevor er sich rasieren ging. Es hieß *Einkommensteuer in den Ländern des Commonwealth*, und er hatte gemeint, das würde sie wahrscheinlich interessieren.

Sie stellte fest, dass es das nicht tat, und ging zum Bücherregal, um zu sehen, ob es da auch etwas Interessantes gäbe, als die Tür aufging und eine alte Dame hereinsah. Sie und Gloria blickten einander etwa eine halbe Minute lang an, und Glorias Wangen fingen wieder an zu glühen. Die Oberlippe der alten Dame hatte tiefe senkrechte Furchen, und irgendwie wirkte sie misstrauisch. Sie gab ein paar Grunzlaute von sich, die jedesmal mit einem leichten Prusten eingeleitet wurden, und ging dann wieder. Gloria hatte jetzt keine Lust mehr, das Bücherregal anzurühren, und sagte sich, dass die Party sie für alles entschädigen würde.

Als Mr Huws-Evans zurückkam, hatte er am Hals ein großes rotes Pflaster. «Diese Rasierklingenhersteller!», sagte er bitter, machte aber keine Einwände, als Gloria fragte, ob sie sich mal die Hände waschen dürfe. Er kam sogar mit auf den Treppenabsatz, um ihr die Tür zu zeigen.

Das flüssige Make-up sah gut aus, die Wimperntusche ließ sich auftragen wie Dekorationsfarbe auf eine Wand, und die Ohrringe waren jetzt genau richtig. Sie hoffte nur,

blouse and rust cocktail-length skirt, the only
clothes she had that were at all evening, were
evening enough. When she came out the old lady
was there, about thirty inches away. This time she
gave more puffing grunts than before and started
giving them sooner. She was still giving them
when Gloria went downstairs. But then Mr Huws-
Evans, as soon as he saw her, jumped up and said:
"You look absolutely stunning, Gloria," so that
part was worth while.

After they'd left, what Gloria had been half-
expecting all along happened, though not in the
way she'd half-expected. It now appeared that
they were much too early, and Mr Huws-Evans
took her into a park for a sit-down. Before long
he said: "You know, Gloria, it means a lot to me,
you coming out with me today."

This was hard to answer, so she just nodded.

"I think you're the prettiest girl I've ever been
out with."

"Well, thank you very much, Mr Huws-Evans."

"Won't you call me Waldo? I wish you would."

"Oh no, I don't think I could, really."

"Why not?"

"I ... I don't think I know you well enough."

He stared at her with the large brown eyes she'd
often admired in the office, but which she now
thought looked soft. Sadly, he said: "If only you
knew what I feel about you, Gloria, and how much
you mean to me. Funny, isn't it? I couldn't have
guessed what you were going to do to me, make
me feel, I mean, when I first saw you." He lurched

dass ihre weiße Bluse und der rostrote knielange Rock, ihre einzigen Kleider, die nach Abend aussahen, abendmäßig genug waren. Als sie wieder herauskam, stand die alte Dame da, keinen Meter von ihr entfernt. Diesmal gab sie mehr geprustete Grunzlaute von sich als zuvor und in schneller Folge. Sie gab sie noch immer von sich, als Gloria schon die Treppe hinunterging. Aber als Mr Huws-Evans sie dann sah, sprang er auf und sagte: «Sie sehen einfach hinreißend aus, Gloria», so dass sich das zumindest gelohnt hatte.

Nachdem sie gegangen waren, passierte das, was Gloria schon halb erwartet hatte, allerdings nicht so, wie sie es halb erwartet hatte. Es stellte sich heraus, dass sie anscheinend viel zu früh dran waren, und Mr Huws-Evans führte sie in einen Park zu einer Bank. Es dauerte nicht lange, da sagte er: «Wissen Sie, Gloria, es bedeutet mir sehr viel, dass Sie heute mit mir ausgehen.»

Was sollte sie darauf antworten? Also nickte sie nur.

«Ich glaube, Sie sind das hübscheste Mädchen, mit dem ich je ausgegangen bin.»

«Also, vielen Dank, Mr Huws-Evans.»

«Könnten Sie mich nicht Waldo nennen? Bitte!»

«Oh nein, ich glaube, das bringe ich nicht fertig.»

«Warum denn nicht?»

«Ich ... ich finde, dafür kenne ich Sie nicht gut genug.»

Er starrte sie mit seinen großen braunen Augen an, die sie im Büro so oft bewundert hatte, die ihr jetzt aber schmachtend vorkamen. Traurig sagte er: «Wenn Sie nur wüssten, Gloria, was ich für Sie empfinde und wieviel Sie mir bedeuten. Ist es nicht seltsam? Ich hätte nie gedacht, was Sie bei mir anrichten würden, ich meine, welche Gefühle Sie in mir wecken würden, als ich Sie zum ersten Mal sah.» Mit einem

suddenly towards her, but drew back at the last minute. "If only you could feel for me just a tiny bit of what I feel for you, you've no idea what it would mean to me."

An approach of this kind was new to Gloria and it flustered her. If, instead of all this daft talk, Mr Huws-Evans had tried to kiss her, she'd probably have let him, even in this park place; she could have handled that. But all he'd done was make her feel foolish and awkward. Abruptly, she stood up. "I think we ought to be going."

"Oh, not yet. Please. Please don't be offended."

"I'm not offended, honest."

He got up too and stood in front of her. "I'd give anything in the world to think that you didn't think too hardly of me. I feel such a worm."

"Now you're not to talk so silly."

When it was much too late, Mr Huws-Evans did try to kiss her, saying as he did so: "Oh, my darling."

Gloria side-stepped him. "I'm not your darling," she said decisively.

After that neither spoke until they arrived at the house where the party was. Mr Huws-Evans's daft talk, Gloria thought, was to be expected from the owner of that mackintosh hat – which he still wore.

When Mr Huws-Evans's brother caught sight of her their eyes met for a long moment. It was because of him – she'd seen him once or twice when he called in at the office – that she'd accepted Mr Huws-Evans's invitation. Originally she'd intended

Ruck beugte er sich zu ihr, hielt aber im letzten Augenblick inne. «Wenn Sie doch für mich nur ein klein wenig von dem empfinden könnten, was ich für Sie empfinde – Sie ahnen ja nicht, was mir das bedeuten würde.»

Ein solches Vorgehen war neu für Gloria, und es verunsicherte sie. Wenn Mr Huws-Evans anstelle dieses Geredes versucht hätte, sie zu küssen, hätte sie ihn vermutlich gewähren lassen, sogar in diesem komischen Park; damit wäre sie fertiggeworden. Stattdessen hatte er nur erreicht, dass sie sich dumm und unbehaglich fühlte. Abrupt stand sie auf. «Ich glaube, wir sollten jetzt gehen.»

«Oh, noch nicht! Bitte. Seien Sie nicht gekränkt.»

«Ich bin nicht gekränkt, ehrlich.»

Er stand auch auf und stellte sich vor sie hin. «Ich würde alles dafür geben, wenn ich glauben dürfte, dass sie nicht schlecht von mir denken. Ich fühle mich ja so erbärmlich.»

«So etwas Albernes sollten Sie nicht sagen.»

Als es schon viel zu spät dafür war, versuchte Mr Huws-Evans doch noch, sie zu küssen und sagte dabei: «Ach, mein Liebling.»

Gloria wich ihm aus. «Ich bin nicht Ihr Liebling!», sagte sie energisch.

Danach sprachen beide nicht mehr, bis sie das Haus erreichten, in dem die Party stattfand. Was konnte man schon anderes als dieses dämliche Gerede erwarten, dachte Gloria, von jemandem, der so einen Regenhut wie Mr Huws-Evans trug – er hatte ihn immer noch auf.

Als Mr Huws-Evans' Bruder sie entdeckte, tauschten sie für einen langen Moment Blicke aus. Nur seinetwegen – sie war ihm ein-, zweimal begegnet, als er im Büro vorbeikam – hatte sie Mr Huws-Evans' Einladung angenommen. Ursprünglich wollte sie ihn nur von der anderen Seite des

just to look at him across the room while she let Mr Huws-Evans talk to her, but after what had happened she left Mr Huws-Evans to unpack his crisps and put them in bowls while the brother (it was funny to think that he was Mr Huws-Evans too, in a way) took her across the room, sat her on a sofa and started talking about interesting things.

Raumes aus beobachten, während Mr Huws-Evans auf sie einredete, aber nach dem, was vorgefallen war, ließ sie Mr Huws-Evans seine Kartoffelchips auspacken und in Schalen füllen, während der Bruder (irgendwie war es komisch, sich vorzustellen, dass er auch Mr Huws-Evans hieß) sie durchs Zimmer zu einem Sofa führte und anfing, über interessante Dinge zu reden.

Clare Boylan
The Stolen Child

Women steal other people's husbands so why shouldn't they steal other people's babies? Mothers leave babies everywhere. They leave them with foreign students while they go out gallivanting, hand them over to strangers for years on end, who stuff them with dead languages and computer science. I knew a woman who left her baby on the bus. She was halfway down Grafton Street when she got this funny feeling and she said, "Oh, my God, I've left my handbag," and then with a surge of relief she felt the strap of her bag cutting into her wrist and remembered the baby.

I never wanted to steal another woman's husband. Whatever you might make of a man if you got him first-hand, there's no doing anything once some other woman's been at him, started scraping off the first layer of paint to see what's underneath, then decided she didn't like it, and left him like that all scratchy and patchy.

Babies come unpainted. They have their own smell, like new wood has. They've got no barriers. Mothers go at their offspring the way a man goes at a virgin, no shame or mercy. A woman once told me she used to bite her baby's bum when she changed its nappy. Other women have to stand back, but nature's nature.

Sometimes I dream of babies. Once there were two in a wooden cradle high up on a shelf. They

Clare Boylan
Das gestohlene Kind

Frauen nehmen anderen den Ehemann weg, warum sollten
sie also nicht auch anderen Leuten ihr Baby wegnehmen?
Überall lassen Mütter ihre Babys unbeaufsichtigt. Sie geben sie ausländischen Studentinnen, während sie selbst sich
einen schönen Tag machen; überlassen sie jahrelang wild-
fremden Leuten, die sie mit toten Sprachen und Computer-
wissen vollstopfen. Ich kannte mal eine Frau, die vergaß ihr
Baby im Bus. Sie war schon mitten auf der Grafton Street,
als sie so ein komisches Gefühl bekam und rief: «Oh Gott,
ich hab meine Handtasche liegenlassen!» Dann spürte sie
erleichtert den Riemen der Tasche, der ihr ins Handgelenk
schnitt, und ihr fiel das Baby wieder ein.

Ich habe nie einer anderen Frau den Mann wegnehmen
wollen. Was immer man mit einem fabrikneuen Mann
anfangen mag – wenn eine andere Frau erst mal an ihm
dran war und die oberste Lackschicht abgekratzt hat, um
zu sehen, was drunter ist, und wenn ihr das nicht gefällt
und sie ihn so zerkratzt und fleckig fallenlässt, dann ist er
zu nichts mehr zu gebrauchen.

Babys sind nicht lackiert. Sie haben einen eigenen
Geruch, wie frisches Holz. Sie haben keinen Schutzzaun.
Mütter machen sich über ihre Kinder her wie ein Mann
über eine Jungfrau, schamlos und ohne Gnade. Eine Frau
hat mir mal erzählt, dass sie in den Po ihres Babys biss,
wenn sie seine Windeln wechselte. Gegen die Natur kommt
niemand an, da können andere Frauen nicht mitreden.

Manchmal träume ich von Babys. Einmal waren da zwei
hoch oben auf einem Regal in einer hölzernen Wiege. Sie

had very small dark faces, like Russian icons, and I climbed on a chair to get at them. Then I saw their parents sitting up in bed, watching me. I have a dream about a little girl, three or four, who runs behind to catch up with me. She says nothing but her hand burrows into mine and her fingers tap on my palm. Now and then I have a baby in my sleep, although I don't remember anything about it. It's handed to me, and I know it's mine, and I just gaze into the opaque blueness of the eye that's like the sky, as if everything and nothing lies behind.

It comes over you like a craving. You stand beside a pram and stare the way a woman on a diet might stare at a bar of chocolate in a shop window. You can't say anything. It's taboo, like cannibalism. Your middle goes hollow and you walk away stiff-legged, as if you have to pee.

Or maybe you don't.

It happened just like that. I'd come out of the supermarket. There were three infants, left lying around in strollers. I stopped to put on my head-scarf and I looked at the babies, the way people do. I don't know what did it to me, but I think it was the texture. There was this chrysalis look. I was wondering what they felt like. To tell the truth my mouth was watering just for a touch. Then one of them turned with jerky movements to look at me.

"Hello," I said. She stirred in her blankets and blew a tiny bubble. She put out a toe to explore the air. She looked so new, so completely new,

hatten ganz kleine dunkle Gesichter, wie russische Ikonen, und ich stieg auf einen Stuhl, um sie zu erreichen. Dann sah ich ihre Eltern, die im Bett saßen und mich beobachteten. Ich träume von einem kleinen Mädchen von drei oder vier, das versucht, mit mir Schritt zu halten. Es sagt nichts, aber seine Hand gräbt sich in meine, und ihre Finger klopfen auf meine Handfläche. Hin und wieder habe ich im Traum ein Baby, obwohl ich mich nicht erinnere, wie ich dazu gekommen bin. Es wird mir einfach übergeben, und ich weiß, dass es meins ist, und ich sehe in seine Augen, die milchig blau sind wie der Himmel, und dahinter scheint alles und nichts zu liegen.

Es überkommt einen wie ein unwiderstehliches Verlangen. Man steht neben einem Kinderwagen und starrt hinein wie eine Frau, die Diät hält und auf eine Tafel Schokolade in einem Schaufenster starrt. Man darf das nicht sagen. Es ist tabu, wie Kannibalismus. In deiner Mitte entsteht eine Leere, und du gehst steifbeinig weiter, als ob du pinkeln müsstest.

Vielleicht gehst du aber auch nicht.

Es ist einfach so passiert. Ich kam aus dem Supermarkt. Da waren drei Babys verlassen in ihren Wagen. Ich blieb stehen, um mein Kopftuch festzubinden, und betrachtete die Kleinen, wie man das so tut. Ich weiß nicht, was der Auslöser war, aber ich glaube, es war ihre seidige Haut. Sie sahen aus wie Schmetterlingspuppen. Ich wollte wissen, wie sie sich anfühlten. Um ehrlich zu sein, mir lief das Wasser im Mund zusammen bei dem Gedanken, sie anzufassen. Und dann drehte sich eins mit einem Ruck um und sah mich an.

«Hallo», sagte ich. Sie bewegte sich unter ihren Decken und formte ein kleines Spuckebläschen. Sie streckte eine Zehe hervor, um die Lufttemperatur zu prüfen. Sie sah so neu aus, so vollkommen neu, dass ich sie unbedingt haben

that I was mad to have her. It's like when you see some dress in a shop window and you have to have it because you think it will definitely change your life. Her skin was rose soft and I had a terrible urge to touch it. "Plenty of time for that," I thought as my foot kicked the brake of the pram.

Mothers don't count their blessings. They complain all the time and they resent women without children, as if they've got away with something. They see you as an alien species. Talk about a woman scorned! And it's not men who scorn you. They simply don't notice you at all. It's other women who treat you like the cat daring to look at the king. They don't care for women like me, they don't trust us. Well, I don't like them much either.

I was at the bus stop one day and this woman came along with a toddler by the hand and a baby in a push-car. "Terrible day!" I said. Well it was. Cats and dogs. She gave me a look as if she was about to ask for a search warrant and then turned away and commenced a performance of pulling up hoods and shoving on mittens. It wasn't the rain. She didn't even notice the rain, soaked to the bone, hair stuck to her head like a bag of worms. She had all this shopping, spilling out of plastic bags, and she bent down and began undoing her parcels, arranging them in the tray underneath the baby's seat, as if to say to me, "This is our world. We don't need your sort." Not that I need telling.

musste. Das ist so, als sähest du in einem Schaufenster ein Kleid und wolltest es unbedingt haben, weil du denkst, dass es mit Sicherheit dein Leben verändern wird. Ihre Haut war rosig zart, und alles in mir verlangte danach, sie zu berühren. « Das hat Zeit », dachte ich und löste mit dem Fuß die Bremse des Kinderwagens.

Mütter wissen gar nicht, wie gut sie es haben. Immerzu beklagen sie sich, und sie haben was gegen Frauen ohne Kinder, als ob denen was erspart geblieben wäre. Sie betrachten dich wie ein fremdartiges Wesen. Nichts ist gefährlicher, sagt man, als eine verachtete Frau. Dabei sind es gar nicht die Männer, die einen verachten. Für die ist man einfach Luft. Es sind die anderen Frauen, die einen behandeln, als hätte man etwas Verbotenes getan. Sie haben nichts übrig für Frauen wie mich, sie trauen uns nicht über den Weg. Na ja, ich mag sie auch nicht besonders.

Ich stand mal an der Bushaltestelle, da kam diese Frau daher mit einem Kleinkind an der Hand und einem Baby in einem Kinderwagen. « Scheußliches Wetter! », sagte ich, und das war es auch. Wie aus Kübeln hat es gegossen. Sie warf mir nur einen Blick zu, als wollte sie meinen Durchsuchungsbefehl sehen, und dann drehte sie sich weg und machte ein großes Theater mit Verdeck-Hochklappen und Handschuhe-Überstülpen. Mit dem Regen hatte das nichts zu tun. Der Regen machte ihr gar nichts aus, nass bis auf die Knochen, die Haare in Strähnen am Kopf wie Regenwürmer. Sie hatte einen Haufen Einkäufe dabei, in Plastiktüten, die überquollen, und sie bückte sich und fing an, alles auszupacken und es auf der Ablage unten im Kinderwagen zu verstauen, als wollte sie damit sagen: « So ist unsere Welt. Solche wie dich brauchen wir nicht. » Nicht, dass man mich daran erinnern müsste.

It was a relief when the bus came – but that was short-lived. I don't know why mothers can't be more organized. She hoisted the toddler on to the platform and then got up herself, leaving the baby all alone in the rain to register its despair. "You've forgotten the baby," I said, and she gave me a very dirty look. She lunged outward and seized the handles of the pram and tried to manhandle it up after her, but it was too heavy. Sullen as mud, she plunged back out into the rain. This time the toddler was abandoned on the bus and it opened its little mouth and set up a pitiful screeching. She unstrapped the baby and sort of flung it up on the bus. Everyone was looking. Back she clambered, leaned out again and wrestled the pram on board, as if some sort of battle to the death was involved. I don't think the woman was in her right mind. Of course, half the groceries fell out into the gutter and the baby followed. "You're going about that all wrong," I told her, but she took no notice. The driver then woke up and said he couldn't take her as there was already one push-car on the bus. Do you think she apologized for keeping everyone waiting? No! She merely gave me a most un-pleasant glance, as if I was the one to blame.

Walking away from the supermarket with someone else's child, I didn't feel guilty. I was cleansed, absolved of the guilt of not fitting in. I loved that baby. I felt connected to her by all the parts that unglamorous single women aren't supposed to have. I believed we were allies. She seemed to understand that I needed her more

Ich war froh, als der Bus kam, aber die Freude währte nur kurz. Ich verstehe nicht, warum Mütter so chaotisch sind. Sie hob das Kleine in den Bus und stieg dann selber ein, ließ aber das Baby im Regen zurück, das verzweifelt schrie. «Sie haben das Baby vergessen», sagte ich, und sie sah mich böse an. Sie beugte sich nach draußen, packte die Griffe des Kinderwagens und versuchte, ihn hereinzuziehen, aber er war zu schwer. Stinkwütend platschte sie wieder in den Regen. Diesmal blieb das Kleine verlassen im Bus, und es riss den Mund auf und fing an, jämmerlich zu kreischen. Sie machte die Haltegurte des Babys los und warf es fast in den Bus. Alle sahen zu. Sie kletterte zurück, lehnte sich wieder hinaus und zerrte den Wagen ins Innere, als sei es ein Kampf um Leben und Tod. Ich glaube, die Frau war nicht ganz bei Verstand. Natürlich fiel die Hälfte ihrer Lebensmittel in den Rinnstein und das Baby hinterher. «Sie fangen das ganz falsch an», erklärte ich ihr, aber sie beachtete das gar nicht. Dann wachte der Busfahrer auf und sagte, sie könne nicht mitfahren, weil schon ein Kinderwagen im Bus sei. Und glauben Sie, dass sie sich etwa entschuldigt hätte, weil alle ihretwegen warten mussten? Nein! Sie warf mir nur einen äußerst unfreundlichen Blick zu, als ob ich an allem schuld wäre.

Als ich mich mit dem fremden Kind vom Supermarkt entfernte, hatte ich keine Schuldgefühle. Ich fühlte mich gereinigt, befreit von der Schuld, nicht dazuzugehören. Ich liebte dieses Baby. Ich fühlte mich ihm mit allen Teilen meines Körpers verbunden, die unscheinbare alleinstehende Frauen angeblich gar nicht besitzen. Wir waren in meinen Augen Verbündete. Sie schien zu verstehen,

than her mother did and I experienced a great
well of pity for her helplessness. She could do
nothing without me and I would do anything in
the world for her. I wheeled the pram out through
the car park, not too quickly. Once I even stopped
to settle her blankets. Oh, she was the sweetest
thing. Several people smiled into the pram. When
I gave her a little tickle, she laughed. I think I
have a natural talent as a mother. I look at other
women with their kids and think, "She's doing
that all wrong, she doesn't deserve to have her."
I notice things. The worst mothers are the ones
with too many kids. Just like my mum. They
bash them and yell at them and then they give
them sweets. Just like this woman I saw watching me from the doorway of the supermarket.
She seemed completely surrounded by children.
There must have been seven of them. One kid was
being belted by another and a third was scuttling
off out under a car. And she just watched me intent-
ly with this pinched little face and I knew she was
envying me my natural ease as a mother. I knew
a widow once, used to leave her baby in the dog's
basket with the dog when she went out to work.

And all this time, while I was pushing and plot-
ting, where was her mother? She might have been
in the newsagent's, flipping the pages of magazines,
or giving herself a moustache of cappuccino in the
coffee shop, or in the supermarket gazing at bloated
purple figs and dreaming of a lover. Mothers, who
swear that they would die in an instant for you, are
never there when you need them. Luckily, there is

dass sie für mich wichtiger war als für ihre Mutter, und
ich war zutiefst gerührt angesichts ihrer Hilflosigkeit.
Sie war ganz auf mich angewiesen, und ich war bereit,
alles für sie zu tun. Ich schob den Kinderwagen über den
Parkplatz davon, aber nicht zu schnell. Einmal blieb ich
sogar stehen, um ihre Decken zurechtzuziehen. Ach,
sie war ja so süß! Mehrere Leute warfen lächelnd einen
Blick in den Wagen. Wenn ich sie kitzelte, lachte sie. Ich
besitze, glaube ich, eine angeborene Begabung als Mutter.
Ich sehe andere Mütter mit ihren Kindern und denke:
«Sie macht das ganz falsch. Sie verdient dieses Kind gar
nicht.» Mir fällt so was auf. Die schlechtesten Mütter sind
die, die zu viele Kinder haben. Genau wie meine Mutter.
Erst hauen sie sie und schreien sie an, und dann geben sie
ihnen Süßigkeiten. Genau wie diese Frau, die mich vom
Eingang des Supermarkts aus beobachtete. Sie schien
umringt von Kindern. Es müssen mindestens sieben gewesen sein. Eins der Kinder wurde gerade von einem anderen
verdroschen, und ein drittes krabbelte davon und unter ein
Auto. Und mich sah sie nur mit ihrem verkniffenen Gesicht
an, und ich wusste, dass sie mich um die natürliche Leichtig-
keit beneidete, mit der ich Mutter war. Ich kannte mal eine
Witwe, die ließ ihr Baby zusammen mit dem Hund in
dessen Körbchen, wenn sie zur Arbeit ging.

Und in der Zeit, während ich den Wagen schob und
Pläne schmiedete, wo war da ihre Mutter? Vielleicht war
sie am Zeitungsstand und blätterte in Magazinen, oder
im Café, wo sie sich einen Cappuccino-Schnurrbart holte,
oder im Supermarkt, wo sie fette, blaurote Feigen anstarr-
te und von einem Liebhaber träumte. Mütter, die schwören, dass sie augenblicklich ihr Leben für dich opfern
würden, sind nie da, wenn man sie braucht. Zum Glück

frequently someone on hand, as for instance myself, who was now wheeling the poor little thing out of harm's way, and not, if you ask me, before time.

I can't remember ever being so happy. There was a sense of purpose, the feeling of being needed. And you'll laugh now, but for the first time in my life, looking into that sweet little face, I felt that I was understood.

When my mum died I got depressed and they sent me along to see a psychiatrist. He said to me, "You're young. You have to make a life of your own." I was furious. "Hardly anyone makes a life of their own," I told him. "They get their lives made for them." He asked me about my social life and I said I went to the pictures once in a while. "You could put an advertisement in one of the personal columns," he said.

"Advertisement for what?" I said.

"A companion," he said.

"Just like that?" I must say I thought that was a good one. "You put an advertisement in the paper and you get a companion?" I pictured a fattish little girl of about ten with long plaits.

"People do," he promised me. "Or you could go to an introduction agency."

"And what sort of thing would you say in this advertisement?"

"You could say you were an attractive woman, early thirties, seeking kind gentleman friend, view to matrimony."

I was so mad. I lashed out at him with my hand-bag. "You said a companion. You never said anything about a gentleman friend."

ist dann oft jemand wie ich zur Stelle, um das arme kleine Ding in Sicherheit zu schieben, und wenn Sie mich fragen, war es auch höchste Zeit.

Ich konnte mich nicht erinnern, jemals so glücklich gewesen zu sein. Es war dieses Gefühl, eine Aufgabe zu haben, gebraucht zu werden. Sie werden jetzt lachen, aber als ich in dieses süße kleine Gesicht sah, hatte ich das Gefühl, dass mich zum ersten Mal jemand verstand.

Als meine Mutter starb, bekam ich Depressionen, und sie schickten mich zu einem Psychiater. Er sagte: «Sie sind noch jung, sie müssen sich ein eigenes Leben aufbauen.» Ich wurde wütend. «Wer hat schon ein eigenes Leben?», sagte ich zu ihm. «Das Leben wird einem von anderen aufgebaut.» Er erkundigte sich, mit wem ich mich so träfe, und ich sagte, ich ginge ab und zu mal ins Kino. «Sie könnten eine Anzeige aufgeben in der Rubrik ‹Persönliches›.»

«Eine Anzeige? Zu welchem Zweck?», fragte ich.

«Eine Bekanntschaft», sagte er.

«Einfach so?» Ich gebe zu, ich fand das reichlich komisch. «Man setzt eine Anzeige in die Zeitung und schließt eine Bekanntschaft?» Ich stellte mir ein dickliches Mädchen von etwa zehn mit langen Zöpfen vor.

«Viele tun das», versicherte er mir. «Oder Sie könnten zu einer Vermittlungsagentur gehen.»

«Und was schreibt man in so einer Anzeige?»

«Sie könnten sagen, dass Sie eine attraktive Frau Anfang dreißig sind, die einen netten Herrn kennenlernen möchte, spätere Heirat nicht ausgeschlossen.»

Ich wurde richtig wütend und versetzte ihm eins mit meiner Handtasche. «Sie haben von Bekanntschaft gesprochen. Von einem netten Herrn war nicht die Rede.»

Well, I make out all right. I got a bit of part-time work and I took up a hobby. I became a shoplifter. Many people are compelled to do things that are outside their moral strictures in these straitened times, but personally I took to shoplifting like a duck to water. It gave me a lift and enabled me to sample a lot of interesting things. The trick is, you pay for the bulky items and put away the small ones, fork out for the sliced loaf, pinch the kiwi fruit, proffer for the potatoes, take the pâté, pay for the firelighters, stash the little tray of fillet steaks. In this way I added a lot of variety to my diet – lumpfish roe and anchovies and spiced olives and smoked salmon, although I also accumulated a lot of sliced bread. "Use your imagination," I told myself. "There are other bulky items besides sliced loaves."

Perhaps it was the pack of nappies in my trolley that did it. I hate waste. It also just happened that the first sympathetic face I saw that day (in years, in point of fact) was that tiny baby left outside in her pram to wave her toe around in the cold air, so I took her too.

I thought I'd call her Vera. It sounded like the name of a person who'd been around for a long time, or as if I'd called her after my mother. When I got home the first thing I did was to pick her up. Oh, she felt just lovely, like nothing at all. I went over to the mirror to see what kind of a pair we made. We looked a picture. She took years off my age.

Ich komme eigentlich ganz gut zurecht. Ich mache ein bisschen Teilzeitarbeit und ich habe mir ein Hobby zugelegt. Ich begehe Ladendiebstähle. Manche Leute sehen sich in diesen schwierigen Zeiten gezwungen, Dinge zu tun, die sie moralisch ablehnen. Ich dagegen fühle mich beim Ladendiebstahl in meinem Element. Es hat mich innerlich aufgebaut, und ich habe dabei eine Menge interessanter Erfahrungen gesammelt. Der Trick besteht darin, dass du für etwas sperrige Sachen bezahlst und die kleinen wegsteckst. Du blechst für den Laib Brot in Scheiben und klaust die Kiwi, löhnst für die Kartoffeln und lässt die Fleischpastete mitgehen, zahlst für die Feueranzünder und stibitzt die kleine Packung Filetsteak. Auf diese Weise habe ich viel Abwechslung in meinen Speiseplan gebracht: falscher Kaviar und Sardellen und eingelegte Oliven und Räucherlachs. Allerdings hat sich auch ein Haufen Brot in Scheiben angesammelt. «Lass dir was einfallen», habe ich zu mir gesagt. «Es gibt doch noch andere etwas sperrige Sachen außer Brot in Scheiben.»

Vielleicht hat es mit der Packung Windeln in meinem Einkaufswagen angefangen. Ich kann es nicht leiden, wenn Dinge nutzlos herumliegen. Und zufällig gehörte das erste freundliche Gesicht, das ich an diesem Tag sah (das erste Jahren, genauer gesagt), diesem kleinen Baby, das verlassen in seinem Wagen lag und seine Zehen in die kalte Luft streckte, und da hab ich sie halt auch noch mitgenommen.

Ich dachte mir, ich nenne sie Vera. Das klang wie der Name von jemandem, den ich schon lange kannte, oder so, als hätte ich sie nach meiner Mutter genannt. Als ich nach Hause kam, nahm ich sie als Erstes auf den Arm. Sie hat sich einfach wunderbar angefühlt, ganz einzigartig! Ich ging zum Spiegel, um zu sehen, wie wir beide uns machten. Wir sahen aus wie gemalt. Sie machte mich um Jahre jünger.

Vera was looking around in a vaguely disgruntled way, as if she could smell burning. "Milk," I thought. "She wants milk." I kept her balanced on my arm while I warmed up some milk. It was a nice feeling, although inconvenient. I would have to get used to that. It was like smoking in the bath. I had to carry her back with the saucepan, and a spoon, and a dishtowel for a bib. Natural mothers don't have to ferret around with saucepans and spoons. They have everything to hand, inside their slip. I tried to feed her off a spoon but she blew at it instead of sucking. There was milk in my hair and on my cardigan and quite a lot of it went on the sofa, which is a kingfisher pattern, blue on cream. After a while she pushed the cup away and her face folded up as if she was going to cry. "Oh, sorry, sweetheart," I said. "Who's a stupid mummy?" She needed her nappy changed.

To tell the truth I had been looking forward to this. Women complain about the plain duties of motherhood but to me she was like a present that was waiting to be unwrapped. I carried her back downstairs and filled a basin with warm water and put a lot of towels over my arm. How did I manage this, you ask? Well, a trail of water from kitchen to sofa tells the tale – but I managed the talc and the nappies and a sponge and all the other bits and pieces. I was proud of myself. I almost wished there was someone there to see.

By now Vera was a bit uneasy (perhaps I should have played some music, like women do to babies in the womb, but I don't know much

Vera sah sich leicht unzufrieden um, so als könnte sie etwas Angebranntes riechen. «Milch», dachte ich, «sie will Milch.» Ich balancierte sie auf meinem Arm, während ich etwas Milch warm machte. Es war ein schönes Gefühl, wenn auch ein bisschen umständlich. Daran würde ich mich gewöhnen müssen. Es war wie Rauchen in der Badewanne. Ich musste sie zurücktragen mit dem Milchtopf, einem Löffel und einem Geschirrtuch als Lätzchen. Geborene Mütter müssen nicht lange mit Töpfen und Löffeln herumfuchteln, sie haben alles zur Hand, in ihrem Unterrock. Ich versuchte, sie mit dem Löffel zu füttern, aber sie blies alles weg, anstatt es zu schlucken. Ich hatte Milch im Haar und auf meiner Strickjacke, und eine Menge spritzte aufs Sofa mit seinem Eisvogelmuster, blau auf cremefarbenem Grund. Nach einer Weile stieß sie den Becher weg und verzog ihr Gesichtchen, als wollte sie gleich weinen. «Oh, tut mir leid, Herzchen», sagte ich. «So eine dumme Mami!» Ihre Windel musste gewechselt werden.

Darauf hatte ich mich, ehrlich gesagt, schon gefreut. Viele Frauen beklagen sich über die banalen Pflichten einer Mutter, aber für mich war das wie ein Geschenk, das darauf wartet, ausgepackt zu werden. Ich trug sie wieder nach unten, füllte eine Schüssel mit warmem Wasser und nahm eine Menge Handtücher auf den Arm. Wie ich das alles bewerkstelligt habe, fragen Sie? Nun, die Wasserspur von der Küche zum Sofa sagt alles – aber ich schaffte auch noch Babypuder und Windeln und einen Schwamm und all die anderen Dinge heran. Ich war richtig stolz auf mich. Fast hätte ich mir gewünscht, es könnte mich jemand sehen.

Mittlerweile wurde Vera etwas unruhig (vielleicht hätte ich ihr Musik vorspielen sollen, wie werdende Mütter das mit ihren Ungeborenen tun, aber ich verstehe nicht viel von

about music). I took off the little pink jacket, the pink romper suit that was like a hot-water-bottle cover and then started to unwrap the nappy.

A jet of water shot up into my eye. I was startled and none too pleased. I rubbed my eye and began again, removing all that soggy padding. Then I slammed it shut. The child looked gratified and started to chortle. Incredulous, I peeled the swaddling back once more. My jaw hung off its hinges. Growing out of the bottom of its belly was a wicked little ruddy horn. I found myself looking at balls as big as pomegranates and when I could tear my eyes away from them I had to look into his eye, a man's eye, already calculating and bargaining.

It was a boy. Who the hell wants a boy?

"Hypocrite!" I said to him. "Going round with that nice little face."

Vera stuck out his lower lip.

Imagine the nerve of the mother, dressing him up in pink, palming him off as a girl! Imagine, I could still be taken in by a man.

Now the problem with helping yourself to things, as opposed to coming by them lawfully, is that you have no redress. You have to take what you get. On the other hand, as a general rule, this makes you less particular. I decided to play it cool. "The thing is, Vera," I told him (I would change his name later. The shock was too great to adjust to all at once), "I always thought of babies as female. It simply never occurred to me that they came in the potential rapist mode. Now,

Musik). Ich zog ihr das rosa Jäckchen aus und den rosa Strampelanzug, der aussah wie der Überzug einer Wärmflasche, und dann fing ich an, die Windel aufzumachen. Ein Wasserstrahl spritzte mir ins Auge. Ich erschrak heftig und war wenig erfreut. Ich rieb mir das Auge und ging noch einmal daran, diese durchweichten Lagen zu entfernen. Dann klappte ich alles mit einem Klatsch wieder zu. Das Kind schien sich zu freuen und fing an zu glucksen. Ungläubig nahm ich das Windelpaket erneut auseinander. Mein Unterkiefer fiel herab. Aus seinem Bauch wuchs unten ein böses rotes Hörnchen hervor. Ich stand da und starrte auf ein Säckchen so groß wie ein Granatapfel, und als ich schließlich meinen Blick davon löste, musste ich ihm ins Auge sehen, ein Männerauge, schon jetzt berechnend und auf seinen Vorteil bedacht.

Es war ein Junge. Wer zum Teufel will schon einen Jungen haben!

« Schwindler! », sagte ich zu ihm. « Mit so einem hübschen kleinen Gesicht herumzulaufen! »

Vera schob seine Unterlippe vor.

Was fällt nur dieser Mutter ein, ihm rosa Sachen anzuziehen und ihn als Mädchen auszugeben! Das muss man sich mal vorstellen! Ich fiel immer noch auf Männer herein.

Nun kann man ja Sachen, die man sich gegrapscht hat, nicht einfach umtauschen, im Unterschied zu solchen, die man rechtmäßig erworben hat, und das ist ein Problem. Man muss nehmen, was man kriegt. Andererseits bedeutet das, dass man im Allgemeinen weniger wählerisch ist. Ich beschloss, Ruhe zu bewahren. « Die Sache ist die, Vera », sagte ich zu ihm (den Namen würde ich später ändern – der Schock war zu groß gewesen, um alles auf einmal umzustellen), « Babys waren für mich immer weiblich. Ich konnte mir einfach nicht vorstellen, dass es sie auch in Form potentieller

97

clearly there are points in your favour. You do look
very nice with all your clothes on. On the other
hand, I can't take to your sort as a species."

I was quite pleased with that. I thought it very
moderate and rational. Vera was looking at me
in the strangest way, with a sweet, intent, intelligent look. Clearly he was concentrating. There
is something to be said for the intelligent male.
Maybe he and I would get along. "The keynote,"
I told him, "is compromise. We'll have to give
each other plenty of space." Vera smiled. He
looked relieved. It was a weight off my mind too.
Then I got this smell. It dawned on me with
horror the reason for his concentration. "No!" I
moaned. "My mother's Sanderson!" I swooped
on him and swagged him without looking too
closely. His blue eyes no longer seemed opaque
and new but very old and angry. He opened his
mouth and began to bawl. Have you ever known
a man who could compromise?

All that afternoon I gazed in wonder on the
child who had melted my innards and compelled
me to crime. Within the space of half an hour he
had been transformed. His face took on the scalded
red of a baboon's behind and he bellowed like a
bull. His eyes were brilliant chips of ice behind
a wall of boiling water. I got the feeling it wasn't
even personal. It was just what he did whenever
he thought of it. I changed his nappy and bounced
him on my knee until his brains must have scram-
bled. I tried making him a mush of bread and milk
and sugar, which he scarcely touched, yet still

Vergewaltiger gibt. Gewiss spricht einiges für dich. Du siehst sehr hübsch aus, wenn du angezogen bist. Andererseits kann ich mich für deine Spezies nicht erwärmen.»

Ich fand das recht gut, es klang sehr gemäßigt und vernünftig. Vera sah mich ganz seltsam an, mit einem lieben, aufmerksamen, verständigen Blick. Offensichtlich konzentrierte er sich. Intelligente männliche Wesen haben etwas für sich. Vielleicht würden er und ich miteinander auskommen. «Kompromissbereitschaft», sagte ich zu ihm, «ist das Entscheidende. Wir müssen einander Freiräume lassen.» Vera lächelte. Er wirkte erleichtert. Auch mir fiel ein Stein vom Herzen. Dann roch ich es. Mit Entsetzen dämmerte mir der Grund für seine Konzentration. «Nein!», stöhnte ich. «Mutters guter Bezugsstoff!» Ich schnappte ihn und wischte ihn ab, ohne allzu genau hinzusehen. Seine blauen Augen wirkten jetzt nicht mehr milchig und neu, sondern sehr alt und zornig. Er öffnete den Mund und fing an zu plärren. Sind Sie je einem Mann begegnet, der zu Kompromissen bereit war?

Den ganzen Nachmittag über betrachtete ich verwundert das Kind, das mein Innerstes zum Schmelzen gebracht und mich zu einem Verbrechen verleitet hatte. Innerhalb einer halben Stunde war er wie verwandelt. Sein Gesicht wurde feuerrot wie das Hinterteil eines Pavians, und er brüllte wie ein Stier. Seine Augen waren glitzernde Eissplitter hinter einer Wand von kochendem Wasser. Mir schien, dass das nicht einmal persönlich gemeint war. Er tat das einfach, wenn es ihm gerade einfiel. Ich wechselte seine Windeln und wippte ihn so lange auf meinem Knie, dass in seinem Kopf alles durcheinander sein musste. Ich versuchte es mit einem Brei aus Brot, Milch und Zucker, den er mir, obwohl er ihn kaum anrührte, in großen Mengen wieder ins Ohr

managed to return in great quantity over my ear. With rattling hands I strapped him into the stroller and took him for a walk. Out of doors the noise became a metallic booming. People glared at me and moved away and crows fell off their perches in the trees. Everything seemed distorted by the sound. I felt quite mad with tiredness. My legs seemed to be melting and when I looked at the sky the clouds had a fizzing, dangerous look. I wanted to lie flat on the pavement. You can't when you're a mother. Your life's not your own any more. I realized now that the mother-and-child unit is not the one I imagined but a different kind in which she exists to keep him alive and he exists to keep her awake.

I hadn't had a cup of tea all day, or a pee. When I got home there was a note on the door. It was from my landlord, asking had I a child concealed on the premises. Concealment, I mirthlessly snorted, would be a fine thing. He said it was upsetting the other tenants and either it went or I did.

I crept in to turn on the news. By now Vera would be reported missing. His distraught mother would come on the telly begging whoever had him to please let her have her baby back. It was difficult to hear above the infant shrieks but I could see Bill Clinton's flashing teeth and bodies in the streets in Bosnia and men in suits at EEC summits. I watched until the weatherman had been and gone. Vera and I wept in unison. Was this what they meant by bonding?

spuckte. Mit zitternden Händen schnallte ich ihn in seinem Wagen fest und machte mit ihm einen Spaziergang. Im Freien wurde aus dem Greinen ein metallisches Dröhnen. Leute sahen mich drohend an und gingen mir aus dem Weg, und Krähen fielen von ihren Ästen. Das Geräusch schien alles zu verzerren. Ich war ganz von Sinnen vor Müdigkeit. Meine Beine gaben nach, und als ich zum Himmel sah, schienen die Wolken bedrohlich zu brodeln. Ich hätte mich gerne auf dem Pflaster ausgestreckt, aber das geht nicht, wenn man Mutter ist. Das Leben gehört einem nicht mehr selbst. Mir wurde jetzt klar, dass ich mir falsche Vorstellungen von der Mutter-Kind-Beziehung gemacht hatte. In Wahrheit ist die Mutter dazu da, den Kleinen am Leben zu halten, während er dazu da ist, sie wach zu halten.

Den ganzen Tag hatte ich noch keine Zeit für eine Tasse Tee oder zum Pinkeln gehabt. Als ich nach Hause kam, hing ein Zettel an der Tür. Er war von meinem Vermieter, der wissen wollte, ob ich ein Kind in der Wohnung versteckt hätte. Darüber konnte ich nur grimmig lachen: «Verstecken» wäre ja zu schön! Die anderen Mieter, schrieb er, fühlten sich gestört, und entweder das Kind verschwände oder ich.

Ich schlich mich hinein und schaltete die Nachrichten ein. Inzwischen war Vera sicher als vermisst gemeldet worden. Seine verzweifelte Mutter würde auf dem Bildschirm erscheinen und die Person, die ihn entführt hatte, anflehen, ihr doch bitte ihren Kleinen zurückzugeben. Es war schwer, bei dem Babygeschrei etwas zu verstehen, aber ich sah Bill Clintons strahlendes Gebiss und Leichen auf den Straßen von Bosnien und Männer in Anzügen auf Gipfeltreffen der EWG. Ich sah mir das an, bis der Wetterbericht vorbei war. Vera und ich waren beide in Tränen aufgelöst. Nennt man so was Mutter-Kind-Bindung?

Some time in the night the crying stopped. The crimson faded from my fledgling's cheek and he subsided into rosy sleep. There was a cessation in the hostile shouts and banging on walls from neighbours. I sat over him and stroked his little fluff of hair and his cheek that was like the inside of a flower and then I must have fallen asleep for I dreamed I was being ripped apart by slash hooks but I woke up and it was his barking cries slicing through the fibres of my nerves.

Vera beamed like a rose as I wheeled him back to the supermarket. Daylight lapped around me like a great, dangerous, glittering sea. After twenty-four hours of torture I had entered a twilight zone and was both light-headed and depressed so that tears slid down my face as I exulted at the endurance of the tiny creature in my custody, the dazzling scope of his language of demand which ranged from heart-rending mews to the kind of frenzied sawing sounds which might have emanated from the corpse stores of Dr Frankenstein, from strangled croaks to the foundation-rattling bellows of a Gargantua. He had broken me. My nerve was gone and even my bones felt loose. I had to concentrate, in the way a drunk does, on setting my feet one in front of the other. I parked him carefully outside the supermarket and even did some shopping, snivelling a bit as I tucked away a little tin of white crab meat for comfort. Then I was free. I urged my trembling limbs to haste. "You've forgotten your baby!" a woman cried out. My boneless feet

In der Nacht hörte das Weinen irgendwann auf. Das tiefe Rot wich aus den Wangen meines Schützlings, und er sank in einen rosigen Schlummer. Das feindselige Rufen und An-die-Wand-Klopfen der Nachbarn hörte auf. Ich saß über ihn gebeugt da und streichelte den Flaum auf seinem Kopf und seine Wangen, die wie das Innere einer Blüte waren, und dann muss ich eingeschlafen sein, denn ich träumte, ich würde von Hakenmessern zerfetzt, aber als ich aufwachte, war es sein gellendes Geschrei, das meine Nervenfasern durchschnitt.

Vera strahlte wie eine Rose, als ich ihn zum Supermarkt zurückschob. Das Tageslicht wogte um mich her wie ein großer, drohender, glitzernder Ozean. Nach vierundzwanzigstündiger Folter befand ich mich in einer Grauzone und war gleichzeitig euphorisch und niedergeschlagen, und mir liefen Tränen des Glücks übers Gesicht bei dem Gedanken an die Ausdauer dieses Winzlings in meiner Obhut, die unglaubliche Ausdrucksvielfalt, mit der er Forderungen stellte, und die von herzzerreißendem Wimmern bis zu wahnwitzigen Sägegeräuschen reichte, wie sie aus der Leichenhalle des Dr. Frankenstein hätten kommen können, von ersticktem Gurgeln bis zu einem gargantuesken Brüllen, das die Grundfesten erzittern ließ. Er hatte mich fertiggemacht. Meine Nerven waren dahin, und selbst meine Knochen hielten nicht mehr zusammen. Wenn ich einen Fuß vor den anderen setzte, musste ich mich konzentrieren wie eine Betrunkene. Ich stellte ihn sorgsam vor dem Supermarkt ab und machte sogar ein paar Einkäufe, wobei ich ein bisschen schlucken musste, als ich heimlich, um mich zu trösten, eine kleine Dose weißes Krebsfleisch einsteckte. Nun war ich frei! Ich zwang mich mit zitternden Gliedern zur Eile. «Sie haben Ihr Baby vergessen!», rief mir eine Frau zu. Meine butterweichen Füße

tried an ineffectual scarper and the wheels of the
push-car squealed in their pursuant haste. Upset
by the crisis, the baby began to yell.

There are women who abandon babies in
phone booths and lavatories and on the steps of
churches, but these are stealthy babies, silently
complicit in their own desertion. Vera was like
a burglar alarm in reverse. Wherever I set him
down, he went off. I tried cafes, cinemas, police
stations. Once, I placed him in a wastepaper basket and he seemed to like that, for there wasn't
a peep, but then when I was scurrying off down
the street, I remembered that vandals sometimes
set fire to refuse bins, so I ran back and fished
him out. At the end of the day we went home and
watched the news in tears. There was no report of
a baby missing. Vera's cries seemed to have been
slung like paint around the walls so that even
in his rare sleeping moments they remained
violent and vivid and neighbours still hammered
on the walls. Everyone blamed me. It was like
being harnessed to a madman. It reminded me
of something I had read, how in Victorian alms-
houses, sane paupers were frequently chained
to the bed with dangerous lunatics.

By the third day I could think of nothing but
rest. Sleep became a lust, an addiction. I was
weeping and twitching and creeping on hands and
knees. I wanted to lie down somewhere dark and
peaceful where the glaring cave of my baby's
mouth could no more pierce me with its procla-
mations. Then, with relief, I remembered the

versuchten vergeblich davonzurennen, und die Räder des Kinderwagens hetzten mich laut quietschend. Aufgeschreckt durch diese Dramatik, begann das Baby zu plärren.

Es gibt Frauen, die ihre Babys in Telefonzellen und Toiletten oder auf den Stufen einer Kirche aussetzen, aber dabei handelt es sich um verschwiegene Babys, die sich durch ihr Stillhalten zu Komplizen derer machen, die sie im Stich lassen. Vera war wie ein umgekehrter Einbrecheralarm. Wo immer ich ihn abstellte, schrillte er los. Ich habe es mit Cafés, Kinos, Polizeirevieren versucht. Einmal habe ich ihn in einen Papierkorb gesteckt, und ihm schien das zu gefallen, denn er muckste sich nicht, aber als ich dann die Straße hinunter eilte, fiel mir ein, dass Vandalen manchmal Mülleimer anzünden, und da rannte ich zurück und fischte ihn wieder heraus. Am Abend gingen wir nach Hause und sahen uns weinend die Fernsehnachrichten an. Kein Bericht von einem vermissten Baby. Veras Geschrei klebte rundherum an den Wänden wie Farbe, und selbst wenn er mal für kurze Zeit schlief, tat es weiter seine verheerende Wirkung, und die Nachbarn hämmerten an die Wand. Alle Welt gab mir die Schuld. Es war, wie wenn man an einen Wahnsinnigen gefesselt ist. Ich musste daran denken, dass ich mal irgendwo gelesen habe, in viktorianischen Asylen seien Arme, die völlig bei Verstand waren, oft zusammen mit gefährlichen Geisteskranken ans Bett gekettet worden.

Nach drei Tagen wollte ich nur noch eins: Ruhe. Schlaf wurde zur Begierde, zur Sucht. Ich weinte fortwährend und zuckte und kroch auf allen Vieren. Ich wollte mich irgendwo hinlegen, wo es dunkel und still war und wo die Forderungen aus der aufgerissenen Mundhöhle meines Babys nicht mehr zu mir durchdrangen. Dann fiel mir zu meiner Erleichterung der Fluss ein. In fieberhafter Eile

riverbed. No one would find me there. Feverishly I dressed the child and wheeled him to the bridge. We made our farewells and I was about to hop into oblivion when I noticed a glove, left on one of the spikes that ornament the metalwork, so that whoever had lost it would spot it right away. It was an inspiration, a sign from God. I lifted Vera on to the broad ledge of the bridge, hooked his little jumper on to a spike, and left him there, peering quite serenely into the water.

At the end of the bridge I turned and looked back. The baby had disappeared. Someone had taken him. It seemed eerily quiet without that little soul to puncture the ozone with his lungs. Then I realized just why it was so quiet. There wasn't a someone. There hadn't been anyone since I left him there.

I raced back. "Vera!" There was no sound, and when I gazed into the water it offered back an ugly portrait of the sky.

"Vera!" I wailed.

After a few seconds the baby surfaced. At first he bounced into view and bobbed in the water, waiting to get waterlogged and go down again. Then he reached out an arm as if there was an object in the murky tide he wanted. He didn't seem frightened. There was something leisurely about that outstretched hand, the fingers slightly curled, like a woman reaching for a cake. He began to show signs of excitement. His little legs started to kick. Out went another arm towards an unseen goal. "What are you

zog ich das Kind an und schob es in seinem Wagen zur Brücke. Wir nahmen voneinander Abschied, und gerade wollte ich ins ewige Vergessen springen, da bemerkte ich einen Handschuh, der auf dem eisernen Gitter steckte, wo ihn derjenige, der ihn verloren hatte, mit Sicherheit entdecken würde. Das war wie eine Eingebung, ein göttliches Zeichen. Ich hob Vera auf die breite Brüstung der Brücke, zog seinen kleinen Pullover über eine der Gitterstangen und ließ ihn da, wobei er ganz vergnügt ins Wasser spähte.

Am Ende der Brücke drehte ich mich um und blickte zurück. Das Baby war verschwunden. Irgendwer hatte ihn sich genommen. Es herrschte eine unheimliche Stille ohne dieses kleine Wesen, das mit seiner Lunge den Äther durchbohrte. Dann wurde mir klar, warum es so still war. Es gab keinen «Irgendwer». Da war niemand, seit ich ihn sich selbst überlassen hatte.

Ich raste zurück. «Vera!» Alles war still, und als ich ins Wasser hinunterstarrte, war da nur das hässliche Spiegelbild des Himmels.

«Vera!», heulte ich.

Nach einigen Sekunden tauchte das Baby auf. Erst kam es wie ein Korken an die Oberfläche und schaukelte auf den Wellen und schien nur darauf zu warten, sich mit Wasser vollzusaugen und wieder unterzugehen. Dann streckte er ein Ärmchen aus, als sei da etwas in den schmutzigen Fluten, das er haben wollte. Er schien keinerlei Angst zu haben. Diese ausgestreckte Hand und die leicht gekrümmten Finger wirkten gelassen, wie die einer Frau, die nach einem Stück Kuchen greift. Dann merkte man, dass er sich freute. Er fing an, mit den Beinchen zu strampeln. Er streckte auch noch den anderen Arm nach etwas Unsichtbarem aus. «Was

doing?" I peered down into the filthy water in which no other living thing was. Up came the arm again, grabbed the water and withdrew. His feet kicked in delight. The baby's whole body looked delighted. I moved along the wall, following his progress, trying to see what he saw, that made him rejoice. Then I realized; he was swimming. The day was still and there was very little current. He gained confidence with every stroke. "Wait!" I kept pace along the wall. The baby took no notice. He had commenced his new life as a fish. "Wait!" I cried. For me, I meant. I wanted to tell him he was wonderful, that I would forgive him all his smells and yowling for in that well-defended casement was a creature capable of new beginnings. He did not strike out at the water as adults do but used his curled hands as scoops, his rounded body as a floating ball. He was merely walking on the water like Jesus, or crawling since he had not yet learned to walk. "Wait!" I begged as he bobbed past once again. I threw off my raincoat and jumped into the water. As I stretched out to reach the little curving fingers, he began to snarl.

I would like to report a happy ending, but then too I have always hankered for a sighting of a hog upon the wing. It took five more days to locate the mother. She told the police she had had a lovely little holiday by the sea and thought their Clint was being safely looked after by a friend, who, like everyone else in her life, had let her down. As it transpired, I knew the

machst du denn da?» Ich sah angestrengt auf das Dreck-
wasser, in dem es sonst nichts Lebendiges gab. Wieder hob
er den Arm, griff ins Wasser und zog ihn zurück. Seine
Füßchen zappelten vor Vergnügen. Alles an dem Kleinen
schien vergnügt. Ich ging langsam an dem Geländer entlang und verfolgte seine Bewegungen, versuchte zu sehen,
was er sah und was ihm so viel Freude machte. Dann wurde
mir klar: Er lernte zu schwimmen. Es war windstill, und es
gab kaum eine Strömung. Mit jeder Schwimmbewegung
wurde er sicherer. «Warte!» Ich hielt am Geländer Schritt
mit ihm. Das Baby schenkte mir keine Beachtung. Es hatte
ein neues Leben als Fisch begonnen. «Warte!», rief ich. Auf
mich, sollte das heißen. Ich wollte ihm sagen, wie wunderbar
er sei und dass ich ihm all seine Gerüche und sein Geschrei
verzeihen wollte, denn in dieser Schutzhülle steckte ein
Wesen, das zu neuen Anfängen fähig war. Er stieß sich nicht
vorwärts wie ein erwachsener Schwimmer, sondern ruderte
mit seinen hohlen Händchen, während sein rundlicher Körper wie ein Ball auf der Oberfläche schwamm. Er lief einfach
übers Wasser wie Jesus, oder besser: Er krabbelte, denn er
konnte ja noch nicht laufen. «Warte!», bat ich, als er wieder
vorbeitrieb. Ich warf meinen Regenmantel ab und sprang ins
Wasser. Als ich mich streckte, um die gekrümmten Finger-
chen zu fassen, fing er an, böse zu knurren.

Gerne würde ich mit einem Happy End schließen, denn
ich habe ja schon immer dazu geneigt, die Welt durch eine
rosarote Brille zu sehen. Es dauerte weitere fünf Tage, bis
die Mutter gefunden war. Sie erklärte der Polizei, sie habe
sich ein paar schöne Tage an der See gemacht und geglaubt,
ihr Clint sei bei einer Freundin gut aufgehoben, aber die
habe sie, wie alle anderen in ihrem Leben, bitter enttäuscht.
Wie sich herausstellte, kannte ich die Mutter, und sie kann-

mother and she knew me, although we did not refresh our acquaintance. It was the pinched little woman with all the kids who had watched me wheel her child away. She said their Clint was a bawler, she hadn't had a wink of sleep since the day he was born, but she would take him back if someone gave her a Walkman to shut out the noise. Nobody bothered about me, the heroine of the hour – a woman who had risked her life to save a drowning child. It was the mother who drew the limelight. She became a sort of cult figure for a while and mothers could be spotted everywhere smiling under earphones, just as they used to waddle about in tracksuits a year or two ago. It was left to us, the childless, to suffer the curdling howls of the nation's unattended innocents.

Some women don't deserve to have children.

te mich, obwohl wir unsere Bekanntschaft nicht erneuerten. Sie war die verkniffene kleine Frau mit den vielen Kindern, die zusah, als ich den Wagen mit ihrem Baby wegschob. Sie sagte, ihr Clint sei ein Schreihals, sie habe seit dem Tag, als er geboren wurde, nicht mehr geschlafen, aber sie würde ihn zurücknehmen, wenn ihr jemand einen Walkman schenkte, um den Lärm zu übertönen. Um mich scherte sich niemand, die Heldin des Tages, eine Frau, die ihr Leben riskiert hatte, um ein Kind vor dem Ertrinken zu retten. Es war die Mutter, auf die sich alle Blicke richteten. Eine Zeitlang war sie so etwas wie eine Kultfigur, und überall sah man lächelnde Mütter mit Kopfhörern, so wie sie vor ein, zwei Jahren in Trainingsanzügen herumgewatschelt waren. Uns, den Kinderlosen, blieb es überlassen, das nervenzerfetzende Geheul der lieben Kleinen in diesem Land zu ertragen, um die sich niemand kümmerte.

Manche Frauen verdienen es einfach nicht, Kinder zu haben.

Saki
The Story-Teller

It was a hot afternoon, and the railway carriage was correspondingly sultry, and the next stop was at Templecombe, nearly an hour ahead. The occupants of the carriage were a small girl, and a smaller girl, and a small boy. An aunt belonging to the children occupied one corner seat, and the further corner seat on the opposite side was occupied by a bachelor who was a stranger to their party, but the small girls and small boy emphatically occupied the compartment. Both the aunt and the children were conversational in a limited, persistent way, reminding one of the attentions of a housefly that refused to be discouraged. Most of the aunt's remarks seemed to begin with "Don't," and nearly all of the children's remarks began with "Why?" The bachelor said nothing out loud.

"Don't, Cyril, don't," exclaimed the aunt, as the small boy began smacking the cushions of the seat, producing a cloud of dust at each blow.

"Come and look out of the window," she added.

The child moved reluctantly to the window. "Why are those sheep being driven out of that field?" he asked.

"I expect they are being driven to another field where there is more grass," said the aunt weakly.

"But there is lots of grass in that field," protested the boy; "there's nothing else but grass there. Aunt, there's lots of grass in that field."

Saki
Der Geschichtenerzähler

Es war ein heißer Nachmittag, in dem Eisenbahnabteil war
es entsprechend drückend, und bis zum nächsten Halt in
Templecombe dauerte es noch fast eine Stunde. In dem Abteil befanden sich ein kleines Mädchen, ein noch kleineres
Mädchen und ein kleiner Junge. Eine Tante, die zu diesen
Kindern gehörte, hatte einen der Eckplätze eingenommen,
und ein Junggeselle, der mit dieser Reisegesellschaft nichts zu
tun hatte, besetzte den Eckplatz schräg gegenüber, während
die kleinen Mädchen und der kleine Junge entschieden das
ganze Abteil für sich beanspruchten. Sowohl die Tante als
auch die Kinder beschränkten sich auf kurze, aber regel-
mäßige Wortwechsel, die einen an das Wiederkehren einer
Stubenfliege erinnerten, die sich nicht verscheuchen lässt. Die
meisten Bemerkungen der Tante schienen mit « Lass das »
anzufangen, und fast alle Bemerkungen der Kinder begannen
mit « Warum? » Der Junggeselle äußerte sich nicht hörbar.

« Lass das, Cyril, lass das ! », rief die Tante, als der kleine
Junge anfing, auf die Sitzpolster zu klopfen, und mit jedem
Schlag eine Staubwolke aufwirbelte.

« Komm her und sieh aus dem Fenster », setzte sie hinzu.

Widerwillig kam der Kleine ans Fenster. « Warum werden die Schafe dort von ihrer Weide getrieben? », fragte
er.

« Wahrscheinlich werden sie auf eine andere Weide getrieben, auf der es mehr Gras gibt », sagte die Tante schwach.

« Aber auf dieser Weide wächst doch ganz viel Gras »,
wandte der Junge ein. « Da ist überhaupt nur Gras. Auf
dieser Weide gibt es eine Menge Gras, Tante. »

"Perhaps the grass in the other field is better," suggested the aunt fatuously.

"Why is it better?" came the swift, inevitable question.

"Oh, look at those cows!" exclaimed the aunt. Nearly every field along the line had contained cows or bullocks, but she spoke as though she was drawing attention to a rarity.

"Why is the grass in the other field better?" persisted Cyril.

The frown on the bachelor's face was deepening to a scowl. He was a hard, unsympathetic man, the aunt decided in her mind. She was utterly unable to come to any satisfactory decision about the grass in the other field.

The smaller girl created a diversion by beginning to recite 'On the Road to Mandalay'. She only knew the first line, but she put her limited knowledge to the fullest possible use. She repeated the line over and over again in a dreamy but resolute and very audible voice; it seemed to the bachelor as though someone had had a bet with her that she could not repeat the line aloud two thousand times without stopping. Whoever it was who had made the wager was likely to lose his bet.

"Come over here and listen to a story," said the aunt, when the bachelor had looked twice at her and once at the communication cord.

The children moved listlessly towards the aunt's end of the carriage. Evidently her reputation as a story-teller did not rank high in their estimation.

«Vielleicht ist das Gras auf der anderen Weide besser»,
lautete der unbedachte Vorschlag der Tante.

«Und warum ist es besser?», kam sofort die unvermeid-
liche Frage.

«Ach, sieh doch nur diese Kühe!», rief die Tante aus.
Auf fast jeder Weide entlang des Bahndamms waren Kühe
oder junge Bullen, aber ihr Hinweis klang so, als handelte
es sich um etwas ganz Seltenes.

«Warum ist das Gras auf der anderen Weide besser?»,
beharrte Cyril.

Die Stirn des Junggesellen umwölkte sich. Dieser Mann
war herzlos und ohne Mitgefühl, befand die Tante im Stillen. Sie sah sich außerstande, bezüglich des Grases auf der
anderen Weide eine befriedigende Erklärung zu geben.

Das kleinere der beiden Mädchen sorgte für Ab-
lenkung, indem es anfing, ‹Die Straße nach Mandalay›
aufzusagen. Zwar kannte sie nur den ersten Vers, aber
sie setzte ihr begrenztes Wissen denkbar wirksam ein.
Ein übers andere Mal wiederholte sie die Worte unver-
drossen mit einer verträumten, aber durchaus vernehm-
baren Stimme. Dem Junggesellen kam es so vor, als habe
jemand mit ihr gewettet, dass sie die Worte nicht zwei-
tausend Mal ohne Unterbrechung hersagen könne. Wer
immer diese Wette abgeschlossen hatte, würde sie wohl
verlieren.

«Kommt mal zu mir, dann erzähle ich euch eine Geschichte», sagte die Tante, nachdem der Blick des Junggesellen zweimal sie und einmal die Notbremse gestreift
hatte.

Lustlos bewegten sich die Kinder auf die Seite des Ab-
teils, wo ihre Tante saß. Offensichtlich stand sie bei ihnen
als Geschichtenerzählerin nicht hoch in Ansehen.

In a low, confidential voice, interrupted at frequent intervals by loud, petulant questions from her listeners, she began an unenterprising and deplorably uninteresting story about a little girl who was good, and made friends with every one on account of her goodness, and was finally saved from a mad bull by a number of rescuers who admired her moral character.

"Wouldn't they have saved her if she hadn't been good?" demanded the bigger of the small girls. It was exactly the question that the bachelor had wanted to ask.

"Well, yes," admitted the aunt lamely, "but I don't think they would have run quite so fast to her help if they had not liked her so much."

"It's the stupidest story I've ever heard," said the bigger of the small girls, with immense conviction.

"I didn't listen after the first bit, it was so stupid," said Cyril.

The smaller girl made no actual comment on the story, but she had long ago recommenced a murmured repetition of her favourite line.

"You don't seem to be a success as a story-teller," said the bachelor suddenly from his corner.

The aunt bristled in instant defence at his unexpected attack.

"It's a very difficult thing to tell stories that children can both understand and appreciate," she said stiffly.

"I don't agree with you," said the bachelor.

Mit gedämpfter, verschwörerischer Stimme begann sie, immer wieder unterbrochen von lauten, nörgelnden Zwischenfragen ihrer Zuhörer, eine einfallslose und beklagenswert langweilige Geschichte von einem kleinen braven Mädchen, das alle Welt gern hatte, weil es so brav war, und das am Ende von mehreren Personen, die es wegen ihrer guten Eigenschaften bewunderten, vor einem wütenden Stier gerettet wurde.

«Hätten sie sie auch gerettet, wenn sie nicht brav gewesen wäre?», wollte das ältere der beiden Mädchen wissen. Das war genau die Frage, die auch der Junggeselle gerne gestellt hätte.

«Nun, ja», musste die Tante zugeben, «aber sie wären ihr wahrscheinlich nicht ganz so schnell zu Hilfe geeilt, wenn sie sie nicht gemocht hätten.»

«Das ist die dümmste Geschichte, die ich je gehört habe!», sagte das größere der kleinen Mädchen aus tiefster Überzeugung.

«Ich hab nach ein paar Sätzen gar nicht mehr zugehört, weil sie so dumm war», sagte Cyril.

Das kleinere der Mädchen äußerte sich nicht direkt zu der Geschichte, aber es hatte schon vor längerer Zeit wieder angefangen, seinen Lieblingsvers vor sich hin zu murmeln.

«Sie scheinen als Geschichtenerzählerin wenig Erfolg zu haben», bemerkte der Junggeselle unvermittelt aus seiner Ecke.

Augenblicklich setzte sich die Tante gegen diesen unerwarteten Angriff zur Wehr.

«Es ist ja auch sehr schwierig, eine Geschichte zu erzählen, die Kinder verstehen können und die ihnen gefällt», sagte sie frostig.

«Da bin ich anderer Ansicht», entgegnete der Junggeselle.

"Perhaps *you* would like to tell them a story," was the aunt's retort.

"Tell us a story," demanded the bigger of the small girls.

"Once upon a time," began the bachelor, "there was a little girl called Bertha, who was extraordinarily good."

The children's momentarily-aroused interest began at once to flicker; all stories seemed dreadfully alike, no matter who told them.

"She did all that she was told, she was always thoughtful, she kept her clothes clean, ate milk puddings as though they were jam tarts, learned her lessons perfectly, and was polite in her manners."

"Was she pretty?" asked the bigger of the small girls.

"Not as pretty as any of you," said the bachelor, "but she was horribly good."

There was a wave of reaction in favour of the story; the word horrible in connection with goodness was a novelty that commended itself. It seemed to introduce a ring of truth that was absent from the aunt's tales of infant life.

"She was so good," continued the bachelor, "that she won several medals for goodness, which she always wore, pinned on to her dress. There was a medal for obedience, another medal for punctuality, and a third for good behaviour. They were large metal medals and they clicked against one another as she walked. No other child in the town where she lived had as many as three medals, so everybody knew that she must be an extra good child."

«Dann können *Sie* ihnen ja eine Geschichte erzählen», gab die Tante spitz zurück.

«Ja, erzähl uns eine Geschichte», bat das größere der kleinen Mädchen.

«Es war einmal ein kleines Mädchen namens Bertha», begann der Junggeselle, «das war ganz außerordentlich brav.»

Das Interesse der Kinder, das für einen Augenblick erwacht war, ließ sofort nach. Alle Geschichten, ganz gleich, wer sie erzählte, schienen sich auf schreckliche Weise zu gleichen.

«Sie tat alles, was man ihr sagte, war stets rücksichtsvoll, machte sich nicht schmutzig, aß ihren Milchbrei, als wäre es ein Marmeladentörtchen, machte pünktlich ihre Hausaufgaben und war immer höflich.»

«War sie hübsch?», fragte das größere der kleinen Mädchen.

«Nicht so hübsch wie ihr beiden», sagte der Junggeselle, «aber sie war furchtbar brav.»

Das löste einen Meinungsumschwung zugunsten der Geschichte aus. Das Wort «furchtbar» in Verbindung mit «brav» war neu und vielversprechend. Es brachte ein Element der Wahrhaftigkeit ins Spiel, das den Geschichten aus dem Kinderleben, wie die Tante sie erzählte, fehlte.

«Sie war so brav», fuhr der Junggeselle fort, «dass sie für ihre Bravheit mehrere Orden erhielt, die sie sich an ihr Kleid heftete und immer trug. Einer der Orden war für Gehorsamkeit, ein anderer für Pünktlichkeit und ein dritter für gutes Betragen. Es waren große Orden aus Metall, die beim Gehen klimpernd aneinanderschlugen. Kein anderes Kind in der Stadt, in der sie wohnte, besaß drei Orden, und darum war für jedermann ersichtlich, dass sie ein ganz besonders braves Kind sein musste.»

"Horribly good," quoted Cyril.

"Everybody talked about her goodness, and the Prince of the country got to hear about it, and he said that as she was so very good she might be allowed once a week to walk in his park, which was just outside the town. It was a beautiful park, and no children were ever allowed in it, so it was a great honour for Bertha to be allowed to go there."

"Were there any sheep in the park?" demanded Cyril.

"No," said the bachelor, "there were no sheep."

"Why weren't there any sheep?" came the inevitable question arising out of that answer.

The aunt permitted herself a smile, which might almost have been described as a grin.

"There were no sheep in the park," said the bachelor, "because the Prince's mother had once had a dream that her son would either be killed by a sheep or else by a clock falling on him. For that reason the prince never kept a sheep in his park or a clock in his palace."

The aunt suppressed a gasp of admiration.

"Was the Prince killed by a sheep or by a clock?" asked Cyril.

"He is still alive, so we can't tell whether the dream will come true," said the bachelor unconcernedly; "anyway, there were no sheep in the park, but there were lots of little pigs running all over the place."

"What colour were they?"

"Black with white faces, white with black spots,

« Furchtbar brav », zitierte Cyril.

« Alle Welt sprach davon, wie brav sie war, und als der Fürst des Landes davon hörte, sagte er, wenn sie so brav sei, dann dürfe sie einmal in der Woche in seinem Park, der vor den Toren der Stadt lag, spazierengehen. Es war ein wunderschöner Park, zu dem Kinder keinen Zutritt hatten, und deshalb war es für Bertha eine große Ehre, dort hinein zu dürfen. »

« Gab es in dem Park auch Schafe? », erkundigte sich Cyril.

« Nein », antwortete der Junggeselle, « Schafe gab es dort nicht. »

« Und warum nicht? », lautete die Frage, die sich unweigerlich aus dieser Antwort ergab.

Die Tante gestattete sich ein Lächeln, das man schon beinahe als Schmunzeln bezeichnen konnte.

« In dem Park gab es keine Schafe », erklärte der Junggeselle, « weil die Mutter des Fürsten einmal geträumt hatte, ihr Sohn würde entweder von einem Schaf oder von einer herunterfallenden Uhr getötet werden. Aus diesem Grund gab es im Park des Fürsten keine Schafe und in seinem Palast keine Uhren. »

Die Tante unterdrückte einen Ausruf der Bewunderung.

« Wurde der Fürst dann von einem Schaf oder von einer Uhr getötet? », fragte Cyril.

« Er ist noch am Leben, deshalb wissen wir nicht, ob sich der Traum einmal bewahrheitet », sagte der Junggeselle gleichmütig. « Jedenfalls gab es in dem Park keine Schafe, dafür aber eine Menge Schweinchen, die überall herumliefen. »

« Was für eine Farbe hatten sie? »

« Schwarz mit weißen Gesichtern, weiß mit schwarzen

black all over, grey with white patches, and some were white all over."

The story-teller paused to let a full idea of the park's treasures sink into the children's imaginations; then he resumed:

"Bertha was rather sorry to find that there were no flowers in the park. She had promised her aunts, with tears in her eyes, that she would not pick any of the kind Prince's flowers, and she had meant to keep her promise, so of course it made her feel silly to find that there were no flowers to pick."

"Why weren't there any flowers?"

"Because the pigs had eaten them all," said the bachelor promptly. "The gardeners had told the Prince that you couldn't have pigs and flowers, so he decided to have pigs and no flowers."

There was a murmur of approval at the excellence of the Prince's decision; so many people would have decided the other way.

"There were lots of other delightful things in the park. There were ponds with gold and blue and green fish in them, and trees with beautiful parrots that said clever things at a moment's notice, and humming birds that hummed all the popular tunes of the day. Bertha walked up and down and enjoyed herself immensely, and thought to herself: "If I were not so extraordinarily good I should not have been allowed to come into this beautiful park and enjoy all that there is to be seen in it," and her three medals clinked against one another as she walked and helped to remind her how very good she really was. Just then an enormous wolf came

Flecken, ganz schwarz, grau mit weißen Flecken, und manche waren ganz weiß.»

Der Geschichtenerzähler machte eine Pause, so dass die Vorstellung von den vielen Reizen dieses Parks sich in der Phantasie der Kinder entfalten konnte, dann fuhr er fort:

«Bertha war enttäuscht, als sie feststellte, dass es in dem Park keine Blumen gab. Mit Tränen in den Augen hatte sie ihren Tanten versprochen, keine von den Blumen des gütigen Fürsten zu pflücken, und sie war fest entschlossen, ihr Versprechen zu halten. Darum kam sie sich töricht vor, als sie merkte, dass es gar keine Blumen zu pflücken gab.»

«Und warum gab es keine Blumen?»

«Weil die Schweine alle gefressen hatten», antwortete der Junggeselle prompt. «Die Gärtner hatten dem Fürsten gesagt, man könne nicht beides haben, Schweine *und* Blumen, und da hatte der Fürst sich für Schweine und gegen Blumen entschieden.»

Diese kluge Entscheidung des Fürsten löste Beifallsgemurmel aus. Wie viele Menschen hätten sie anders getroffen!

«Es gab noch viele andere wunderbare Dinge in diesem Park, zum Beispiel Teiche mit goldenen und blauen und grünen Fischen und Bäume, auf denen schöne Papageien saßen, die schlagfertig witzige Dinge sagten, und Singvögel, die sämtliche Lieder singen konnten, die gerade in Mode waren. Bertha ging hierhin und dorthin und war ganz entzückt, und sie dachte: ‹Wenn ich nicht so überaus brav wäre, dann hätte man mir nicht gestattet, in diesen schönen Park zu kommen und mich an allem zu erfreuen, was es hier zu sehen gibt.› Und ihre drei Orden klimperten beim Gehen und erinnerten sie daran, wie äußerst brav sie doch war. Just in diesem Augenblick schlich sich ein riesiger Wolf in den Park, um zu

prowling into the park to see if it could catch a fat little pig for its supper."

"What colour was it?" asked the children, amid an immediate quickening of interest.

"Mud-colour all over, with a black tongue and pale grey eyes that gleamed with unspeakable ferocity. The first thing that it saw in the park was Bertha; her pinafore was so spotlessly white and clean that it could be seen from a great distance. Bertha saw the wolf and saw that it was stealing towards her, and she began to wish that she had never been allowed to come into the park. She ran as hard as she could, and the wolf came after her with huge leaps and bounds. She managed to reach a shrubbery of myrtle bushes and she hid herself in one of the thickest of the bushes. The wolf came sniffing among the branches, its black tongue lolling out of its mouth and its pale grey eyes glaring with rage. Bertha was terribly frightened, and thought to herself: "If I had not been so extraordinarily good I should have been safe in the town at this moment." However, the scent of the myrtle was so strong that the wolf could not sniff out where Bertha was hiding, and the bushes were so thick that he might have hunted about in them for a long time without catching sight of her, so he thought he might as well go off and catch a little pig instead. Bertha was trembling very much at having the wolf prowling and sniffing so near her, and as she trembled the medal for obedience clinked against the medals for good conduct and punctuality. The wolf was just moving away when he heard the sound of the medals clinking and stopped to listen; they clinked again in a bush quite near him.

sehen, ob er sich nicht ein fettes Schweinchen zum Abend-
essen schnappen könnte.»

«Und was für eine Farbe hatte er?», fragten die Kinder,
deren Neugier erwacht war.

«Erdfarben mit einer schwarzen Zunge und hellgrauen
Augen, in denen unsagbare Wildheit funkelte. Das Erste,
was er im Park entdeckte, war Bertha. Ihr Schürzen-
kleid war so makellos sauber und weiß, dass es schon von
weitem zu sehen war. Als Bertha den Wolf bemerkte und
sah, wie er sich ihr langsam näherte, da wünschte sie,
man hätte ihr nie gestattet, in den Park zu kommen. Sie
rannte so schnell sie konnte, und der Wolf folgte ihr mit
großen Sprüngen. Mit Not erreichte sie ein großes Gebüsch aus Myrrhensträuchern und versteckte sich in
einem der dichtesten. Der Wolf kam heran und schnup-
perte zwischen den Ästen, und seine schwarze Zunge hing
ihm aus dem Maul und seine hellgrauen Augen starrten
voller Wut. Bertha hatte schreckliche Angst und dachte:
‹Wäre ich doch nur nicht immer so außerordentlich brav
gewesen, dann wäre ich jetzt in der Stadt in Sicherheit.›
Aber der Duft der Myrrhe war so stark, dass der Wolf
nicht riechen konnte, wo Bertha sich versteckt hielt, und
das Gebüsch war so dicht, dass er lange darin hätte suchen
können, ohne sie zu entdecken, und da dachte er, es wäre
doch besser, sich stattdessen ein Schweinchen zu fangen.
Bertha zitterte heftig, als der Wolf ganz in ihrer Nähe
herumstöberte und schnüffelte, und als sie so zitterte,
klimperte ihr Orden für Gehorsamkeit gegen die Orden
für gutes Betragen und für Pünktlichkeit. Der Wolf hatte
sich schon zurückziehen wollen, aber als er das Klimpern
der Orden vernahm, hielt er inne und lauschte, und da
klimperten sie wieder in einem nahen Busch. Er stürzte

He dashed into the bush, his pale grey eyes gleaming with ferocity and triumph, and dragged Bertha out and devoured her to the last morsel. All that was left of her were her shoes, bits of clothing, and the three medals for goodness."

"Were any of the little pigs killed?"

"No, they all escaped."

"The story began badly," said the smaller of the small girls, "but it had a beautiful ending."

"It is the most beautiful story that I ever heard," said the bigger of the small girls, with immense decision.

"It is the *only* beautiful story I have ever heard," said Cyril.

A dissentient opinion came from the aunt.

"A most improper story to tell to young children! You have undermined the effect of years of careful teaching."

"At any rate," said the bachelor, collecting his belongings preparatory to leaving the carriage, "I kept them quiet for ten minutes, which was more than you were able to do."

"Unhappy woman!" he observed to himself as he walked down the platform of Templecombe station; "for the next six months or so those children will assail her in public with demands for an improper story!"

sich in das Gebüsch, seine hellgrauen Augen glühend vor Wildheit und Triumph, und er zerrte Bertha hervor und verschlang sie mit Haut und Haaren. Alles, was von ihr übrigblieb, waren ihre Schuhe, ein paar Stofffetzen und die drei Orden für ihr Bravsein.»

«Kamen von den Schweinchen welche ums Leben?»

«Nein, die konnten alle entkommen.»

«Am Anfang war die Geschichte nicht gut», sagte das kleinere der kleinen Mädchen, «aber das Ende war schön.»

«Das war die schönste Geschichte, die ich je gehört habe», sagte das größere der kleinen Mädchen mit großer Entschiedenheit.

«Es ist die einzige wirklich schöne Geschichte, die ich je gehört habe», sagte Cyril.

Eine abweichende Meinung kam von der Tante.

«Eine ausgesprochen unpassende Geschichte für Kinder! Sie haben damit Jahre sorgfältiger Erziehung zunichte gemacht.»

«Zumindest», sagte der Junggeselle, der im Begriff war auszusteigen und sein Gepäck an sich nahm, «habe ich erreicht, dass sie zehn Minuten lang still waren, was Ihnen ja nicht gelungen ist.»

«Die arme Frau!», dachte er, als er den Bahnsteig von Templecombe hinunterging. «Während der nächsten sechs Monate werden diese Kinder sie nun in aller Öffentlichkeit damit quälen, ihnen eine unpassende Geschichte zu erzählen.»

Dorothy Parker
The Waltz

Why, thank you so much. I'd adore to.

I don't want to dance with him. I don't want
to dance with anybody. And even if I did, it
wouldn't be him. He'd be well down among the
last ten. I've seen the way he dances; it looks like
something you do on Saint Walpurgis Night.
Just think, not a quarter of an hour ago, here I
was sitting, feeling so sorry for the poor girl he
was dancing with. And now *I'm* going to be the
poor girl. Well, well. Isn't it a small world?

And a peach of a world, too. A true little
corker. Its events are so fascinatingly unpre-
dictable, are they not? Here I was, minding my
own business, not doing a stitch of harm to any
living soul. And then he comes into my life, all
smiles and city manners, to sue me for the favor
of one memorable mazurka. Why, he scarcely
knows my name, let alone what it stands for.
It stands for Despair, Bewilderment, Futility,
Degradation, and Premeditated Murder, but little does he wot. I don't wot his name, either; I
haven't any idea what it is. Jukes, would be my
guess from the look in his eyes. How do you
do, Mr Jukes? And how is that dear little brother
of yours, with the two heads?

Ah, now why did he have to come around
me, with his low requests? Why can't he let me
lead my own life? I ask so little – just to be left

Dorothy Parker
Der Walzer

Oh, vielen Dank. Schrecklich gern.

Ich will nicht mit ihm tanzen. Ich will mit niemandem
tanzen. Und selbst wenn ich es wollte, dann nicht mit dem.
Der wäre ziemlich weit unten auf der Liste der letzten
zehn. Ich habe gesehen, wie der tanzt; es sieht aus wie
etwas, das man in der Walpurgisnacht treibt. Wenn man
sich vorstellt, dass ich vor nicht einmal einer Viertelstunde
hier saß und zutiefst das arme Mädchen bedauerte, mit dem
er tanzte. Und jetzt soll ich das arme Mädchen sein. Tja, ja.
Die Welt ist doch klein!

Und wie toll die Welt ist. Eine wahre Wucht. Ihre Ereignisse sind doch so faszinierend unvorhersagbar. Da war ich,
kümmerte mich um meine eigenen Angelegenheiten, ohne
irgendeiner Menschenseele auch nur das geringste zuleide
zu tun. Und dann tritt der da in mein Leben, ganz Lächeln
und Großstadtmanieren, um sich von mir die Gunst einer
unvergesslichen Mazurka gewähren zu lassen. Und dabei
kennt er kaum meinen Namen, geschweige denn, wofür er
steht. Er steht für Verzweiflung, Bestürzung, Sinnlosigkeit,
Erniedrigung und vorsätzlichen Mord, aber davon hat der
da keinen blassen Schimmer. Ich habe auch keinen blassen
Schimmer, wie sein Name ist; ich habe keine Ahnung, wie
er heißt. Ich würde auf Kretin tippen, so wie der drein-
schaut. Wie geht es Ihnen, Herr Kretin? Und was macht Ihr
reizender kleiner Bruder, der mit den beiden Köpfen?

Ach, warum musste er ausgerechnet zu mir kommen mit
seinem niedrigen Ansinnen? Warum kann er mich nicht
in Frieden lassen? Ich verlange doch so wenig – nur allein

alone in my quiet corner of the table, to do my evening brooding over all my sorrows. And he must come, with his bows and his scrapes and his may-I-have-this ones. And I had to go and tell him that I'd adore to dance with him. I cannot understand why I wasn't struck right down dead. Yes, and being struck dead would look like a day in the country, compared to struggling out a dance with this boy. But what could I do? Everyone else at the table had got up to dance, except him and me. There was I, trapped. Trapped like a trap in a trap.

What can you say, when a man asks you to dance with him? I most certainly will *not* dance with you, I'll see you in hell first. Why, thank you, I'd like to awfully, but I'm having labor pains. Oh, yes, *do* let's dance together – it's so nice to meet a man who isn't a scaredy-cat about catching my beri-beri. No. There was nothing for me to do, but say I'd adore to. Well, we might as well get it over with. All right, Cannonball, let's run out on the field. You won the toss; you can lead.

Why, I think it's more of a waltz, really. Isn't it? We might just listen to the music a second. Shall we? Oh, yes, it's a waltz. Mind? Why, I'm simply thrilled. I'd love to waltz with you.

I'd love to waltz with you. I'd love to waltz with you. I'd love to have my tonsils out, I'd love to be in a midnight fire at sea. Well, it's too late now. We're getting under way. *Oh.*

gelassen zu werden in meiner stillen Tischecke, den ganzen Abend über all meinem stummen Gram hingegeben. Und da muss der daherkommen, mit seinen Verbeugungen und Kratzfüßen und seinen Darf-ich-um-diesen-bitten. Und ich musste hingehen und ihm sagen, dass ich schrecklich gern mit ihm tanze. Ich kann nicht begreifen, weshalb ich nicht auf der Stelle tot umgefallen bin. Jawohl, und tot umfallen wäre die reinste Landpartie im Vergleich dazu, mit diesem Knaben einen Tanz durchzustehen. Aber was konnte ich denn machen? Alle am Tisch waren aufgestanden, um zu tanzen, außer ihm und mir. Da saß ich, in der Falle. In einer Falle gefangen wie eine Falle in einer Falle.

Was kann man denn sagen, wenn einen einer zum Tanzen auffordert? Ich werde ganz bestimmt nicht mit Ihnen tanzen, und wenn der Teufel auf Stelzen kommt. Tja, vielen Dank, das würde ich furchtbar gern, aber ich liege gerade in den Wehen. O ja, lassen Sie uns unbedingt miteinander tanzen – es ist so nett, einen Mann kennenzulernen, der keinen Bammel vor einer Ansteckung mit meiner Beriberi hat. Nein. Mir blieb doch gar nichts anderes übrig, als schrecklich gern zu sagen. Na schön, bringen wir es hinter uns. Auf geht's, schneller Bomber, hinaus auf Spielfeld. Du hast den Anstoß gewonnen; du kannst führen.

Tja, ich glaube, es ist eigentlich eher ein Walzer. Oder nicht? Wir können ja mal einen Moment der Musik zuhören. Sollen wir? Oh, ja, es ist ein Walzer. Ob mir das etwas ausmacht? Aber nein, ich bin ganz begeistert. Ich würde liebend gern mit Ihnen Walzer tanzen.

Ich würde liebend gern mit Ihnen Walzer tanzen. Ich würde liebend gern mit Ihnen Walzer tanzen. Ich würde mir liebend gern die Mandeln rausnehmen lassen, ich wäre liebend gern mitten in der Nacht in einem brennen-

Oh, dear. Oh, dear, dear, dear. Oh, this is even worse than I thought it would be. I suppose that's the one dependable law of life – everything is always worse than you thought it was going to be. Oh, if I had any real grasp of what this dance would be like, I'd have held out for sitting it out. Well, it will probably amount to the same thing in the end. We'll be sitting it out on the floor in a minute, if he keeps this up.

I'm so glad I brought it to his attention that this is a waltz they're playing. Heaven knows what might have happened if he had thought it was something fast; we'd have blown the sides right out of the building. Why does he always want to be somewhere that he isn't? Why can't we stay in one place just long enough to get acclimated? It's this constant rush, rush, rush, that's the curse of American life. That's the reason that we're all of us so – Ow! For God's sake, don't *kick*, you idiot; this is only second down. Oh, my shin. My poor, poor shin, that I've had ever since I was a little girl!

Oh, no, no, no. Goodness, no. It didn't hurt the least little bit. And anyway it was my fault. Really it was. Truly. Well, you're just being sweet, to say that. It really was all my fault.

I wonder what I'd better do – kill him this instant, with my naked hands, or wait and let him drop in his traces. Maybe it's best not to make a scene. I guess I'll just lie low, and watch

den Schiff auf hoher See. Jetzt ist es sowieso zu spät. Wir nehmen allmählich Fahrt auf. Oh. Oje. Oje, oje. Oh, das ist ja noch schlimmer, als ich es mir vorgestellt habe. Das ist wohl auch das einzige stets verlässliche Naturgesetz – alles ist schlimmer, als man sich's vorgestellt hat. Oh, wenn ich einen Begriff davon gehabt hätte, wie dieser Tanz wirklich sein würde, hätte ich darauf bestanden, diese Runde auszusetzen. Na, letzten Endes wird es wohl aufs Gleiche hinauslaufen. Wir werden uns gleich auf den Boden setzen, wenn der so weitermacht.

Ich bin so froh, dass ich seine Aufmerksamkeit darauf gelenkt habe, dass sie jetzt einen Walzer spielen. Weiß der Himmel, was passiert wäre, wenn er gedacht hätte, es sei etwas Schnelles; wir wären glatt durch die Seitenwände des Gebäudes geschossen. Warum will der dauernd irgendwohin, wo er nicht ist? Warum können wir nicht mal lange genug an einem Ort bleiben, um uns zu akklimatisieren? Es ist dieses ständige Hetzen, Hetzen, Hetzen, was der Fluch des amerikanischen Lebens ist. Das ist der Grund, weshalb wir alle so – Autsch! Um Gottes willen, nicht *treten*, du Idiot; das Spiel hat doch erst angefangen. Oh, mein Schienbein. Mein armes, armes Schienbein, das ich schon als kleines Mädchen hatte!

O nein, nein, nein. Du liebe Güte, nein. Es hat überhaupt kein bisschen weh getan. Und außerdem war es meine Schuld. Das war es wirklich. Ehrlich. Ach, Sie sagen das doch nur aus purer Höflichkeit. Es war wirklich ganz allein meine Schuld.

Ich frage mich, was ich machen soll – ihn auf der Stelle umbringen, mit meinen bloßen Händen, oder abwarten, bis er von selbst ermattet. Vielleicht ist es das Beste, keine Szene zu machen. Ich glaube, ich halte mich schlicht und

the pace get him. He can't keep this up indefinitely – he's only flesh and blood. Die he must, and die he shall, for what he did to me. I don't want to be of the oversensitive type, but you can't tell me that kick was unpremeditated. Freud says there are no accidents. I've led no cloistered life, I've known dancing partners who have spoiled my slippers and torn my dress; but when it comes to kicking, I am Outraged Womanhood. When you kick me in the shin, *smile*.

Maybe he didn't do it maliciously. Maybe it's just his way of showing his high spirits. I suppose I ought to be glad that one of us is having such a good time. I suppose I ought to think myself lucky if he brings me back alive. Maybe it's captious to demand of a practically strange man that he leave your shins as he found them. After all, the poor boy's doing the best he can. Probably he grew up in the hill country, and never had no larnin'. I bet they had to throw him on his back to get shoes on him.

Yes, it's lovely, isn't it? It's simply lovely. It's the loveliest waltz. Isn't it? Oh, I think it's lovely, too.

Why, I'm getting positively drawn to the Triple Threat here. He's my hero. He has the heart of a lion, and the sinews of a buffalo. Look at him – never a thought of the consequences, never afraid of his face, hurling himself into every scrimmage, eyes shining, cheeks ablaze. And shall it be said that I hung back? No, a thousand times no.

einfach zurück und sehe zu, bis ihm das Tempo den Rest gibt. Er kann das ja nicht ewig durchhalten – er ist auch nur aus Fleisch und Blut. Sterben muss er, und sterben wird er für das, was er mir angetan hat. Ich will ja nicht überempfindlich sein, aber das macht mir niemand weis, dass dieser Tritt nicht vorbedacht war. Freud sagt, es gibt keine Zufälle. Ich habe kein zurückgezogenes Leben geführt, ich habe schon Tanzpartner erlebt, die mir die Schuhe zertrampelt und das Kleid zerfetzt haben; aber wenn es ans Treten geht, dann bin ich die geschändete Weiblichkeit in Person. Wenn du mir gegen das Schienbein trittst, *lächele.*

Vielleicht hat er es gar nicht böswillig getan. Vielleicht ist das nur seine Art, seine gehobene Stimmung zu zeigen. Vermutlich sollte ich froh sein, dass sich wenigstens einer von uns so glänzend amüsiert. Vermutlich sollte ich mich glücklich preisen, wenn er mich lebend zurückbringt. Vielleicht ist es pingelig, von einem praktisch Unbekannten zu verlangen, dass er einem die Schienbeine so lässt, wie er sie vorgefunden hat. Schließlich tut der arme Knabe ja nur sein Bestes. Wahrscheinlich ist er hinter dem Mond aufgewachsen und hat nie keine Büldung nicht gehabt. Ich wette, sie mussten ihn auf den Rücken werfen, um ihm die Schuhe anzuziehen.

Ja, toll, nicht wahr? Einfach toll. Das ist ein toller Walzer. Nicht wahr? Oh, ich finde ihn auch toll.

Na, ich werde von diesem vielseitigen Stürmertalent ja geradezu angezogen. Er ist mein Held. Er hat das Herz eines Löwen und die Sehnen eines Büffels. Seht ihn euch an – nie der geringste Gedanke an die Folgen, nie die geringste Angst um sein Gesicht, wirft sich in jedes Getümmel, mit glänzenden Augen, mit glühenden Wangen. Und soll etwa geschrieben stehen, dass ich zauderte? Nein und tausend-

What's it to me if I have to spend the next couple of years in a plaster cast? Come on, Butch, right through them! Who wants to live for ever?

Oh. Oh, dear. Oh, he's all right, thank goodness. For a while I thought they'd have to carry him off the field. Ah, I couldn't bear to have anything happen to him. I love him. I love him better than anybody in the world. Look at the spirit he gets into a dreary, commonplace waltz; how effete the other dancers seem, beside him. He is youth and vigor and courage, he is strength and gaiety and – *Ow!* Get off my instep, you hulking peasant! What do you think I am, anyway – a gangplank? *Ow!*

No, of course it didn't hurt. Why, it didn't a bit. Honestly. And it was all my fault. You see, that little step of yours – well, it's perfectly lovely, but it's just a tiny bit tricky to follow at first. Oh, did you work it up yourself? You really did? Well, aren't you amazing! Oh, now I think I've got it. Oh, I think it's lovely. I was watching you do it when you were dancing before. It's awfully effective when you look at it.

It's awfully effective when you look at it. I bet I'm awfully effective when you look at me. My hair is hanging along my cheeks, my skirt is swaddled about me, I can feel the cold damp of my brow. I must look like something out of the 'Fall of the House of Usher'. This sort of thing takes a fearful toll of a woman my age. And he worked up his little step himself, he with his degenerate cunning. And it was just

mal nein. Was bedeuten mir schon die nächsten Jahre in einem Gipsverband? Komm schon, Muskelprotz, mitten durch! Wer will schon ewig leben?

Oh. Oje. Oh, er ist in Ordnung, dem Himmel sei Dank. Eine Zeitlang dachte ich, sie müssten ihn vom Spielfeld tragen. Ach, ich könnte es nicht verwinden, wenn ihm etwas passieren würde. Ich liebe ihn. Ich liebe ihn mehr als jeden anderen auf der Welt. Seht euch den Elan an, den er in einen öden, banalen Walzer legt; wie verweichlicht die anderen Kämpfer neben ihm wirken. Er ist Jugend und Energie und Kühnheit, er ist Stärke und Frohsinn und – *Autsch!* Von meinem Spann runter, du ungeschlachter Trottel! Wofür hältst du mich eigentlich – eine Laufplanke? Autsch!

Nein, natürlich hat es nicht weh getan. Aber kein bisschen. Ehrlich. Und es war allein meine Schuld. Wissen Sie, dieser kleine Schritt von Ihnen – der ist zwar absolut toll, aber am Anfang ist er eben ein klein bisschen tückisch nachzumachen. Oh, den haben Sie sich selbst ausgedacht? Wirklich? Also Sie sind ja ganz erstaunlich! Oh, ich glaube, jetzt hab ich's. Oh, ich finde ihn toll. Ich habe Ihnen dabei zugesehen, als Sie vorhin getanzt haben. Er ist ungeheuer wirkungsvoll, wenn man zuschaut.

Er ist ungeheuer wirkungsvoll, wenn man zuschaut. Ich wette, ich bin ungeheuer wirkungsvoll, wenn man mir zuschaut. Die Haare hängen mir ins Gesicht, mein Rock wickelt sich um mich herum, ich kann den kalten Schweiß auf meiner Stirn fühlen. Ich muss aussehen wie etwas aus dem ‹Untergang des Hauses Usher›. So etwas setzt einer Frau meines Alters entsetzlich zu. Und er hat sich diesen kleinen Schritt selbst ausgedacht, der mit seiner degenerierten Verschlagenheit. Und am Anfang war er ein klein

a tiny bit tricky at first, but now I think I've got
it. Two stumbles, slip, and a twenty-yard dash;
yes. I've got it. I've got several other things, too,
including a split shin and a bitter heart. I hate
this creature I'm chained to. I hated him the
moment I saw his leering, bestial face. And here
I've been locked in his noxious embrace for the
thirty-five years this waltz has lasted. Is that
orchestra never going to stop playing? Or must
this obscene travesty of a dance go on until hell
burns out?

Oh, they're going to play another encore. Oh,
goody. Oh, that's lovely. Tired? I should say I'm
not tired. I'd like to go on like this for ever.

I should say I'm not tired. I'm dead, that's all
I am. Dead, and in what a cause! And the music
is never going to stop playing, and we're going
on like this, Double-Time Charlie and I, through-
out eternity. I suppose I won't care any more,
after the first hundred thousand years. I suppose
nothing will matter then, not heat nor pain nor
broken heart nor cruel, aching weariness. Well.
It can't come too soon for me.

I wonder why I didn't tell him I was tired.
I wonder why I didn't suggest going back to
the table. I could have said let's just listen to
the music. Yes, and if he would, that would
be the first bit of attention he has given it all
evening. George Jean Nathan said that the
lovely rhythms of the waltz should be listen-
ed to in stillness and not be accompanied by
strange gyrations of the human body. I think

bisschen tückisch, aber jetzt, glaube ich, hab ich's. Zweimal Stolpern, Schliddern und ein Zwanzig-Meter-Sprint;
genau. Ich hab's. Ich hab auch noch ein paar andere Dinge,
darunter ein zersplittertes Schienbein und ein verbittertes
Herz. Ich hasse diese Kreatur, an die ich gefesselt bin. Ich
hasste ihn schon in dem Moment, als ich seine lüsterne,
brutale Visage sah. Und nun bin ich die ganzen fünfunddreißig Jahre, die dieser Walzer schon dauert, in seiner
verruchten Umarmung gefangen. Hört das Orchester denn
nie zu spielen auf? Oder muss diese obszöne Travestie eines
Tanzes bis zum Sankt-Nimmerleins-Tag weitergehen?

Oh, sie spielen noch eine Zugabe. Oh, fein. Oh, das ist
toll. Müde? Ich bin überhaupt nicht müde. Ich würde am
liebsten endlos so weitermachen.

Ich bin überhaupt nicht müde. Ich bin nur tot, das ist
alles. Tot, und wofür? Und die Musik wird nie zu spielen
aufhören, und wir werden so weitermachen, Affenzahn-
Charlie und ich, bis in alle Ewigkeit. Vermutlich wird es
mir nach den ersten hunderttausend Jahren nichts mehr
ausmachen. Vermutlich wird dann nichts mehr zählen,
weder Hitze noch Schmerz, noch gebrochenes Herz, noch
gnadenlose, quälende Müdigkeit. Na ja. Mir kann es nicht
früh genug soweit sein.

Ich frage mich, warum ich ihm nicht gesagt habe, dass
ich müde bin. Ich frage mich, warum ich nicht vorgeschla-
gen habe, an den Tisch zurückzugehen. Ich hätte anregen
können, dass wir einfach der Musik zuhören. Ja, und wenn
er eingewilligt hätte, dann wäre es das erste Quäntchen Beachtung gewesen, das er ihr den ganzen Abend geschenkt
hat. George Jean Nathan hat gesagt, die herrlichen Rhyth-
men des Walzers sollten schweigend angehört werden und
nicht von sonderbaren Verrenkungen des menschlichen

that's what he said. I think it was George Jean
Nathan. Anyhow, whatever he said whoever he
was and whatever he's doing now, he's better
off than I am. That's safe. Anybody who isn't
waltzing with this Mrs O'Leary's cow I've got
here is having a good time.

Still if we were back at the table, I'd probably have to talk to him. Look at him – what
could you say to a thing like that! Did you go
to the circus this year, what's your favorite
kind of ice-cream, how do you spell cat? I
guess I'm as well off here. As well off as if
I were in a cement mixer in full action.

I'm past all feeling now. The only way I can
tell when he steps on me is that I can hear the
splintering of bones. And all the events of my
life are passing before my eyes. There was the
time I was in a hurricane in the West Indies,
there was the day I got my head cut open
in the taxi smash, there was the night the
drunken lady threw a bronze ashtray at her
own truelove and got me instead, there was
that summer that the sailboat kept capsizing.
Ah, what an easy, peaceful time was mine,
until I fell in with Swifty, here. I didn't know
what trouble was, before I got drawn into this
danse macabre. I think my mind is beginning to wander. It almost seems to me as if
the orchestra were stopping. It couldn't be, of
course; it could never, never be. And yet in my
ears there is a silence like the sound of angel
voices …

Körpers begleitet sein. Ich glaube, das hat er gesagt. Ich glaube, es war George Jean Nathan. Aber ganz egal, was er gesagt hat und wer er war und was er heute treibt, er ist besser dran als ich. Das steht fest. Jeder, der nicht mit diesem wildgewordenen Trampeltier tanzt, das ich da habe, ist fein raus.

Aber wenn wir wieder am Tisch wären, dann müsste ich wahrscheinlich mit ihm reden. Seht ihn euch an – was könnte man schon zu so einem Typ sagen! Sind Sie dieses Jahr in den Zirkus gegangen, welches Eis essen Sie am liebsten, wie buchstabieren Sie Hund? Ich denke, ich bin hier genau so gut dran. So gut dran jedenfalls wie in einer auf Hochtouren laufenden Betonmischmaschine.

Ich bin jetzt jenseits von guten und bösen Gefühlen. Wenn er mir auf den Fuß tritt, merke ich es nur noch am Geräusch der splitternden Knochen. Und alle Ereignisse meines Lebens ziehen vor meinen Augen vorbei. Da war die Zeit, als ich in der Karibik in einen Hurrikan geriet, da war der Tag, als ich mir bei dem Taxizusammenstoß den Kopf zerschmetterte, da war der Abend, als das betrunkene Frauenzimmer ihrer einzig wahren Liebe einen bronzenen Aschenbecher nachwarf und mich erwischte, da war der Sommer, in dem das Segelboot dauernd kenterte. Ach, was für ein unbeschwertes, friedvolles Dasein mir doch beschieden war, ehe ich mich mit diesem Sausewind da einließ. Ich wusste nicht, was Sorgen sind, bevor ich zu diesem *danse macabre* eingezogen wurde. Ich glaube, mein Verstand beginnt sich zu verwirren. Es scheint mir fast, als ob das Orchester aufgehört hätte. Das kann natürlich nicht sein; das könnte nie, niemals der Fall sein. Und doch ist in meinen Ohren eine Stille wie von Engelszungen …

Oh, they've stopped, the mean things.
They're not going to play any more. Oh darn.
Oh, do you think they would? Do you really
think so, if you gave them twenty dollars? Oh,
that would be lovely. And look, do tell them to
play this same thing. I'd simply adore to go on
waltzing.

Oh, sie haben aufgehört, wie gemein von ihnen. Sie haben für heute Schluss gemacht. Oh, verflixt. Oh, glauben Sie, dass sie das tun würden? Glauben Sie das wirklich, wenn Sie ihnen zwanzig Dollar geben würden? Oh, das wäre toll. Und hören Sie, sagen Sie ihnen doch bitte, dass sie das gleiche Stück spielen sollen. Ich würde einfach schrecklich gerne weiter Walzer tanzen.

T. C. Boyle
Modern Love

There was no exchange of body fluids on the first
date, and that suited both of us just fine. I picked her
up at seven, took her to Mee Grop, where she meticu-
lously separated each sliver of meat from her Phat
Thai, watched her down four bottles of Singha at
three dollars per, and then gently stroked her balsam-
smelling hair while she snoozed through *The Terminator* at the Circle Shopping Center theater. We
had a late-night drink at Rigoletto's Pizza Bar (and
two slices, plain cheese), and I dropped her off. The
moment we pulled up in front of her apartment she
had the door open. She turned to me with the long,
elegant, mournful face of her Puritan ancestors and
held out her hand.

"It's been fun," she said.

"Yes," I said, taking her hand.

She was wearing gloves.

"I'll call you," she said.

"Good," I said, giving her my richest smile. "And
I'll call you."

On the second date we got acquainted.

"I can't tell you what a strain it was for me the
other night," she said, staring down into her choc-
olate-mocha-fudge sundae. It was early afternoon,
we were in Helmut's Olde Tyme Ice Cream Parlor
in Mamaroneck, and the sun streamed through the
thick frosted windows and lit the place like a conva-

T. C. Boyle
Moderne Liebe

Bei unserem ersten Rendezvous kam es nicht zum Austausch von Körperflüssigkeiten, und das war uns beiden ganz recht. Ich holte sie um sieben ab, fuhr mit ihr zum Mee Grop, wo sie penibel jede einzelne Fleischfaser aus ihrem Phat Thai entfernte, sah zu, wie sie vier Flaschen Singha zu je drei Dollar trank, und strich ihr im Kino des Circle Shopping Center sanft über das nach Balsam duftende Haar, während sie ‹Terminator› verschlief. Danach tranken wir noch etwas in Rigoletto's Pizza Bar (und aßen zwei Stück Pizza, nur mit Käse belegt), und dann fuhr ich sie nach Hause. Kaum waren wir dort angekommen, da hatte sie die Beifahrertür schon geöffnet. Sie wandte mir ihr schmales, elegantes, melancholisches Gesicht zu, das Erbe puritanischer Ahnen, und streckte mir die Hand hin.

«Es war sehr nett», sagte sie.

«Ja», sagte ich und nahm ihre Hand.

Sie trug Handschuhe.

«Ich rufe dich an», sagte sie.

«Gut», sagte ich und schenkte ihr mein wärmstes Lächeln. «Und ich dich.»

Beim zweiten Mal lernten wir einander näher kennen.

«Ich kann dir gar nicht sagen, wie stressig das neulich Abend für mich war», sagte sie und starrte auf ihren Schoko-Mokka-Karamel-Becher. Es war früher Nachmittag, wir saßen in Helmut's Olde Tyme Ice Cream Parlor in Mamaroneck, und die Sonne strömte durch die dicken Milchglasscheiben herein und beleuchtete das Lokal, als wäre

lescent home. The fixtures glowed behind the coun-
ter, the brass rail was buffed to a reflective sheen,
and everything smelled of disinfectant. We were the
only people in the place.

"What do you mean?" I said, my mouth glutinous
with melted marshmallow and caramel.

"I mean Thai food, the seats in the movie theater,
the *ladies' room* in that place for God's sake ..."

"Thai food?" I wasn't following her. I recalled
the maneuver with the strips of pork and the
fastidious dissection of the glass noodles. "You're
a vegetarian?"

She looked away in exasperation, and then
gave me the full, wide-eyed shock of her ice-blue
eyes. "Have you seen the Health Department
statistics on sanitary conditions in ethnic restaurants?"

I hadn't.

Her eyebrows leapt up. She was earnest. She
was lecturing. "These people are refugees. They
have – well, different standards. They haven't even
been inoculated." I watched her dig the tiny spoon
into the recesses of the dish and part her lips for
a neat, foursquare morsel of ice-cream and fudge.

"The illegals, anyway. And that's half of
them." She swallowed with an almost imper-
ceptible movement, a shudder, her throat dip-
ping and rising like a gazelle's. "I got drunk
from fear," she said. "Blind panic. I couldn't help
thinking I'd wind up with hepatitis or dysentery
or dengue fever or something."

"Dengue fever?"

es ein Genesungsheim. Die Armaturen hinter der Theke blitzten, die Messingstange war auf Hochglanz poliert und schimmerte warm, und es roch nach Desinfektionsmittel. Wir waren die einzigen Gäste.

«Wie meinst du das?», sagte ich. Mein Mund klebte von geschmolzenen Marshmallows und Karamel.

«Ich meine: Thai-Essen, die Sitze im Kino, die *Damen-toilette*, du meine Güte …»

«Thai-Essen?» Ich verstand nicht ganz. Dann fiel mir das Manöver mit den Schweinefleischstreifen ein und wie sorgfältig sie zwischen den Glasnudeln gesucht hatte. «Du bist Vegetarierin?»

Sie wandte entnervt den Blick ab, und sah mich dann aus weit aufgerissenen, eisblauen Augen entrüstet an. «Hast du mal den Bericht des Gesundheitsministeriums über die sanitären Verhältnisse in Restaurants mit ausländischer Küche gelesen?»

Nein, hatte ich nicht.

Sie legte die Stirn in Falten. Sie meinte es ernst. Sie dozierte. «Diese Leute sind Flüchtlinge. Sie haben … na ja, andere Maßstäbe. Sie sind nicht mal geimpft.» Ich sah zu, wie sie den winzigen Löffel in die Tiefen des Bechers senkte und die Lippen für ein akkurat viereckiges Stückchen Eis mit Karamel öffnete.

«Jedenfalls diejenigen, die illegal hier sind. Und das ist die Hälfte.» Sie schluckte beinahe unmerklich, es war eher ein Erschauern, ihr Kehlkopf hüpfte wie der einer Gazelle. «Ich hab mich aus Angst betrunken», sagte sie. «Aus blinder Panik. Ich musste die ganze Zeit daran denken, dass ich mir bestimmt Hepatitis oder Dysenterie oder Denguefieber einfangen würde.»

«Denguefieber?»

"I usually bring a disposable sanitary sheet for public theaters – just think of who might have been in that seat before you, and how many times, and what sort of nasty festering little cultures of this and that there must be in all those ancient dribbles of taffy and Coke and extra-butter popcorn – but I didn't want you to think I was too extreme or anything on the first date, so I didn't. And then the *ladies' room* … You don't think I'm overreacting, do you?"

As a matter of fact, I did. Of course I did. I liked Thai food – and sushi and ginger crab and greasy souvlaki at the corner stand too. There was the look of the mad saint in her eye, the obsessive, the mortifier of the flesh, but I didn't care. She was lovely, wilting, clear-eyed, and pure, as cool and matchless as if she'd stepped out of a Pre-Raphaelite painting, and I was in love. Besides, I tended a little that way myself. Hypochondria. Anal retentiveness. The ordered environment and alphabetized books. I was a thirty-three-year-old bachelor, I carried some scars and I read the newspapers – herpes, Aids, the Asian clap that foiled every antibiotic in the book. I was willing to take it slow. "No," I said, "I don't think you're overreacting at all."

I paused to draw in a breath so deep it might have been a sigh. "I'm sorry," I whispered, giving her a dog-like look of contrition. "I didn't know."

She reached out then and touched my hand – touched it, skin to skin – and murmured that it was

«Normalerweise nehme ich immer einen Einmal-Sitz-bezug mit, wenn ich ins Kino gehe – stell dir bloß mal vor, wer schon vor dir da gesessen hat und wie oft und was für eklige kleine Kulturen von diesem oder jenem in diesen uralten Flecken von Zuckercreme, Cola und Popcorn mit extra viel Butter leben. Aber ich wollte nicht, dass du bei unserem ersten Rendezvous denkst, ich wäre zu extrem oder so, und darum hatte ich diesmal keinen dabei. Aber dann die *Damentoilette* ... Du findest nicht, dass das eine Überreaktion ist, oder?»

Doch, ehrlich gesagt fand ich das. Natürlich fand ich das. Thai-Essen schmeckte mir – und Sushi und Ingwerkrabben und fettiges Souvlaki von irgendeiner Bude an der Ecke ebenfalls. In ihrem Blick war etwas von einer verrückten Heiligen, einer Besessenen, die das Fleisch kasteite, doch das war mir egal. Sie war wunderschön, zart und blass, kläräugig und so kühl und unvergleichlich, als wäre sie soeben aus einem präraffaelitischen Gemälde getreten, und ich hatte mich in sie verliebt. Außerdem hatte ich selbst ebenfalls einen Hang dazu. Zu Hypochondrie und analer Retention. Geordnete Verhältnisse und alphabe-tisch sortierte Bücher. Ich war ein dreiunddreißigjähriger Junggeselle, hatte einige Narben vorzuweisen und las die Zeitung: Herpes, Aids und dieser asiatische Tripper, der gegen sämtliche Antibiotika immun war. Ich war bereit, die Sache langsam anzugehen. «Nein», sagte ich, «das finde ich überhaupt nicht.»

Ich atmete so tief ein und aus, dass es als Seufzer durch-gehen konnte. «Tut mir leid», flüsterte ich und sah sie mit zerknirschtem Hundeblick an. «Das wusste ich nicht.»

Sie strich über meine Hand – sie berührte sie, Haut auf Haut – und murmelte, das sei schon in Ordnung, sie habe

all right, she'd been through worse. "If you want to know," she breathed, "I like places like this."

I glanced around. The place was still empty, but for Helmut, in a blinding white jumpsuit and toque, studiously polishing the tile walls. "I know what you mean," I said.

We dated for a month – museums, drives in the country, French and German restaurants, ice-cream emporia, fern bars – before we kissed. And when we kissed, after a showing of *David and Lisa* at a revival house all the way up in Rhinebeck and on a night so cold no run-of-the-mill bacterium or commonplace virus could have survived it, it was the merest brushing of the lips. She was wearing a big-shouldered coat of synthetic fur and a knit hat pulled down over her brow and she hugged my arm as we stepped out of the theater and into the blast of the night. "God," she said, "did you see him when he screamed 'You touched me!'? Wasn't that price-less?" Her eyes were big and she seemed weirdly excited. "Sure," I said, "yeah, it was great," and then she pulled me close and kissed me. I felt the soft flicker of her lips against mine. "I love you," she said, "I think."

A month of dating and one dry fluttering kiss. At this point you might begin to wonder about me, but really, I didn't mind. As I say, I was will-ing to wait – I had the patience of Sisyphus – and it was enough just to be with her. Why rush things? I thought. This is good, this is charming,

Schlimmeres erlebt. «Wenn du es genau wissen willst», hauchte sie, «mir gefällt es in Lokalen wie dem hier.»

Ich sah mich um. Wir waren noch immer die einzigen Gäste, außer uns war nur Helmut da, in blendendweißem Overall und Mütze, und putzte sorgfältig die gekachelte Wand. «Kann ich verstehen», sagte ich.

Einen Monat lang gingen wir zusammen aus – Museen, Ausflüge aufs Land, französische und deutsche Restaurants, Eiscafés, reichlich mit Farnen ausgestattete Bars –, bevor wir uns zum ersten Mal küssten. Und als wir uns dann küssten – nachdem wir bis nach Rhinebeck hinausgefahren waren, um uns in einem Programmkino ‹David und Lisa› anzusehen, in einer Nacht, so bitterkalt, dass kein normales Bakterium, kein Feld-Wald-und-Wiesen-Virus es überlebt hätte –, war es mehr ein Streifen der Lippen. Sie trug einen Kunstpelzmantel mit breiten Schulterpolstern und eine tief in die Stirn gezogene Strickmütze, als wir Arm in Arm aus dem Kino und in die Kälte der Nacht traten. «Mein Gott», sagte sie, «hast du sein Gesicht gesehen, als er geschrien hat: ‹Du hast mich berührt!›? War das nicht toll?» Ihre Augen waren geweitet, und sie schien eigenartig erregt. «Ja», sagte ich, «ja, das war gut», und dann zog sie mich an sich und küsste mich. Ich spürte, wie ihre Lippen sacht über meine strichen. «Ich liebe dich», sagte sie. «Glaube ich.»

Einen Monat Ausgehen und ein trockener, hingehauchter Kuss. Sie fangen jetzt wahrscheinlich an, sich über mich zu wundern, aber mir machte das wirklich nichts aus. Ich war, wie gesagt, bereit zu warten – ich besaß die Geduld eines Sisyphos, und mir war es genug, einfach nur mit ihr zusammen zu sein. Wozu die Dinge überstürzen?, dachte ich.

like the slow sweet unfolding of the romance in a Frank Capra movie, where sweetness and light always prevail. Sure, she had her idiosyncrasies, but who didn't? Frankly, I'd never been comfortable with the three-drinks-dinner-and-bed sort of thing, the girls who come on like they've been in prison for six years and just got out in time to put on their make-up and jump into the passenger seat of your car. Breda – that was her name, Breda Drumhill, and the very sound and syllabification of it made me melt – was different.

Finally, two weeks after the trek to Rhinebeck, she invited me to her apartment. Cocktails, she said. Dinner. A quiet evening in front of the tube.

She lived in Croton, on the ground floor of a restored Victorian, half a mile from the Harmon station, where she caught the train each morning for Manhattan and her job as an editor of *Anthropology Today*. She'd held the job since graduating from Barnard six years earlier (with a double major in Rhetoric and Alien Cultures), and it suited her temperament perfectly. Field anthropologists living among the River Dyak of Borneo or the Kurds of Kurdistan would send her rough and grammatically tortured accounts of their observations and she would whip them into shape for popular consumption. Naturally, filth and exotic disease, as well as outlandish customs and revolting habits, played a leading role in her rewrites. Every

Es ist doch gut so, es ist verzaubernd, es ist wie das herrliche, langsame Aufblühen der Liebe in einem Capra-Film, wo das Süße und Heitere stets triumphiert. Natürlich, sie hatte ihre Eigenheiten, aber wer hatte die nicht? Ehrlich gesagt, mir hatten diese Drei-Drinks-ein-Essen-und-dann-ab-ins-Bett-Sachen nie so recht gefallen, diese Mädchen, die Gas gaben, als hätten sie die letzten sechs Jahre im Gefängnis verbracht und wären gerade rechtzeitig entlassen worden, um Make-up aufzulegen und sich auf den Beifahrersitz meines Wagens fallen zu lassen. Breda – so hieß sie, Breda Drumhill, und schon der Klang ihres Namens, schon die Silbenfolge ließ mich dahinschmelzen – war anders.

Zwei Wochen nach unserem Ausflug nach Rhinebeck lud sie mich schließlich in ihre Wohnung ein. Cocktails, sagte sie. Ein Essen. Ein ruhiger Abend vor dem Fernseher.

Sie lebte in Croton, im Erdgeschoss eines restaurierten viktorianischen Hauses, knapp einen Kilometer vom Bahnhof Harmon entfernt, wo sie jeden Morgen in den Zug nach Manhattan stieg. Sie war Redakteurin bei ‹Anthropology Today›, und zwar seit sie sechs Jahre zuvor den Collegeabschluss in Barnard gemacht hatte (mit zwei Hauptfächern: Rhetorik und Fremde Kulturen), und ihre Tätigkeit entsprach in idealer Weise ihrem Temperament. Ethnologen, die zu Forschungszwecken bei den Fluss-Dayak auf Borneo oder den Kurden in Kurdistan lebten, schickten ihr skizzenhaft formulierte und grammatikalisch bedenkliche Berichte über ihre Beobachtungen, denen sie dann jenen Schliff gab, den das Publikum einer populärwissenschaftlichen Zeitschrift erwartete. Natürlich spielten sowohl Schmutz und exotische Krankheiten als auch bizarre Gebräuche und widerwärtige Gewohnheiten in diesen

other day or so she'd call me from work and in a voice that could barely contain its joy give me the details of some new and horrific disease she'd discovered.

She met me at the door in a silk kimono that featured a plunging neckline and a pair of dragons with intertwined tails. Her hair was pinned up as if she'd just stepped out of the bath and she smelled of Noxzema and pHisoHex. She pecked my cheek, took the bottle of Vouvray I held out in offering, and led me into the front room. "Chagas' disease," she said, grinning wide to show off her perfect, outsized teeth.

"Chagas' disease?" I echoed, not quite knowing what to do with myself. The room was as spare as a monk's cell. Two chairs, a loveseat, and a coffee table, in glass, chrome, and hard black plastic. No plants ("God knows what sort of insects might live on them – and the *dirt*, the dirt has got to be crawling with bacteria, not to mention spiders and worms and things") and no rug ("A breeding ground for fleas and ticks and chiggers").

Still grinning, she steered me to the hard black plastic loveseat and sat down beside me, the Vouvray cradled in her lap. "South America," she whispered, her eyes leaping with excitement. "In the jungle. These bugs – assassin bugs, they're called – isn't that wild? These bugs bite you and then, after they've sucked on you a while, they go potty next to the wound. When you scratch, it gets into your bloodstream, and anywhere from

Berichten eine prominente Rolle. Alle paar Tage rief sie mich aus der Arbeit an und erzählte mir mit geradezu ekstatischer Stimme in allen Einzelheiten von irgendeiner neuen, schrecklichen Krankheit, die sie entdeckt hatte.

Sie stand in der offenen Tür und trug einen Seidenkimono mit tiefem Ausschnitt, der mit zwei ineinander verschlungenen Drachen bedruckt war. Sie hatte das Haar aufgesteckt, als wäre sie soeben dem Bad entstiegen, und duftete nach ph-neutraler Seife und medizinischer Hautlotion. Sie hauchte mir einen Kuss auf die Wange, nahm die Flasche Vouvray entgegen, die ich als Gastgeschenk mitgebracht hatte, und führte mich hinein. «Chagas-Krankheit», sagte sie und zeigte mir grinsend ihre makellosen, recht großen Zähne.

«Chagas-Krankheit?», wiederholte ich und wusste nicht, was ich sonst sagen sollte. Der Raum war karg wie eine Klosterzelle: zwei Sessel, ein kleines Sofa, ein Couchtisch, alles aus Glas, Chrom und hartem schwarzem Kunststoff. Keine Pflanzen («Wer weiß, was für Insekten auf denen leben – und die *Erde*, die Erde muss doch geradezu wimmeln von Bakterien, ganz zu schweigen von Spinnen und Würmern und so») und kein Teppich («Eine Brutstätte für Flöhe und Wanzen und alle möglichen Blutsauger»).

Sie grinste noch immer, dirigierte mich zu dem harten schwarzen Kunststoffsofa und setzte sich, die Flasche Vouvray auf dem Schoß, neben mich. «Südamerika», flüsterte sie, und ihre Augen leuchteten vor Begeisterung. «Im Dschungel. Da gibt es Käfer, die heißen Mörderkäfer – ist das nicht irre? Die stechen einen, und wenn sie eine Weile gesaugt haben, verrichten sie genau neben dem Einstich ihr großes Geschäft. Das gerät, wenn man sich kratzt, in die Blutbahn, und ein bis zwanzig Jahre später kriegt man

one to twenty years later you get a disease that's like a cross between malaria and Aids."

"And then you die," I said.

"And then you die."

Her voice had turned somber. She wasn't grinning any longer. What could I say? I patted her hand and flashed a smile. "Yum," I said, mugging for her. "What's for dinner?"

She served a cold cream-of-tofu-carrot soup and little lentil-paste sandwiches for an appetizer and a garlic soufflé with biologically controlled vegetables for the entrée. Then it was snifters of cognac, the big-screen TV, and a movie called *The Boy in the Bubble*, about a kid raised in a totally antiseptic environment because he was born without an immune system. No one could touch him. Even the slightest sneeze would have killed him. Breda sniffled through the first half-hour; then pressed my hand and sobbed openly as the boy finally crawled out of the bubble, caught about thirty-seven different diseases, and died before the commercial break. "I've seen this movie six times now," she said, fighting to control her voice, "and it gets to me every time. What a life," she said, waving her snifter at the screen, "what a perfect life. Don't you envy him?"

I didn't envy him. I envied the jade pendant that dangled between her breasts and I told her so.

She might have giggled or gasped or lowered her eyes, but she didn't. She gave me a long slow look, as if she were deciding something, and then

dann eine Krankheit, die wie eine Mischung aus Aids und Malaria ist.»

«Und dann stirbt man», sagte ich.

«Und dann stirbt man.»

Ihre Stimme klang wieder nüchtern. Sie grinste auch nicht mehr. Was konnte ich schon sagen? Ich tätschelte ihre Hand und lächelte. «Hunger», sagte ich und verzog das Gesicht. «Was gibt's zu essen?»

Als Vorspeise servierte sie eine kalte Tofucremesuppe mit Karotten und kleine, mit Linsenpaste bestrichene Sandwiches, als Hauptgericht ein Knoblauchsoufflé mit biologisch angebautem Gartengemüse. Anschließend gab es für jeden einen Cognac im Schwenker, und dann setzten wir uns vor den großen Fernseher und sahen uns einen Film mit dem Titel ‹Der Junge im Plastikanzug› an. Darin ging es um einen Jungen, der in einer vollkommen keimfreien Sphäre aufwachsen musste, weil er kein Immunsystem besaß. Niemand durfte ihn berühren. Das harmloseste Niesen hätte ihn getötet. Während der ersten halben Stunde schniefte Breda hin und wieder, drückte dann meine Hand und schluchzte laut auf, als der Junge schließlich aus seinem Anzug kroch, etwa siebenunddreißig Krankheiten bekam und noch vor der nächsten Werbepause starb. «Ich hab diesen Film jetzt schon sechsmal gesehen», sagte sie und rang um Fassung, «aber er nimmt mich jedesmal wieder mit. Was für ein Leben», sagte sie und wies mit dem Cognacschwenker auf den Bildschirm, «was für ein perfektes Leben. Beneidest du ihn nicht?»

Ich beneidete ihn nicht. Ich beneidete den Jadeanhänger, der zwischen ihren Brüsten lag, und sagte ihr das auch.

Sie hätte kichern oder den Atem anhalten oder die Augen niederschlagen können, doch das tat sie nicht. Sie betrachtete mich mit einem langen, nachdenklichen Blick, als wäre sie im

she allowed herself to blush, the color suffusing her throat in a delicious mottle of pink and white. "Give me a minute," she said mysteriously, and disappeared into the bathroom.

I was electrified. This was it. Finally. After all the avowals, the pressed hands, the little jokes and routines, after all the miles driven, meals consumed, museums paced, and movies watched, we were finally, naturally, gracefully going to come together in the ultimate act of intimacy and love.

I felt hot. There were beads of sweat on my forehead. I didn't know whether to stand or sit. And then the lights dimmed, and there she was at the rheostat.

She was still in her kimono, but her hair was pinned up more severely, wound in a tight coil to the crown of her head, as if she'd girded herself for battle. And she held something in her hand – a slim package, wrapped in plastic. It rustled as she crossed the room.

"When you're in love, you make love," she said, easing down beside me on the rock-like settee, "– it's only natural." She handed me the package. "I don't want to give you the wrong impression," she said, her voice throaty and raw, "just because I'm careful and modest and because there's so much, well, filth in the world, but I have my passionate side too. I do. And I love you, I think."

"Yes," I said, groping for her, the package all but forgotten.

Begriff, eine Entscheidung zu treffen, und dann gestattete sie sich zu erröten: Ihr Hals bekam ein bezauberndes Muster aus weißen und rosaroten Flecken. «Gib mir eine Minute», sagte sie geheimnisvoll und verschwand im Badezimmer.

Ich war elektrisiert. Es war soweit. Endlich. Nach all den Geständnissen, dem Händchenhalten, den kleinen Scherzen und Spielen, nach all den gefahrenen Kilometern, den verzehrten Mahlzeiten, den besichtigten Museen und gesehenen Filmen würden wir endlich ganz ungezwungen und in Würde im höchsten Akt der Liebe und Intimität zusammenkommen.

Mir war heiß. Der Schweiß stand mir auf der Stirn. Ich wusste nicht, ob ich sitzen bleiben oder aufstehen sollte. Und dann wurde das Licht gedämpfter, und da stand sie, die Hand auf dem Dimmer.

Sie trug noch immer ihren Kimono, doch ihr Haar war zu einem festen, um den Kopf gelegten Zopf geflochten, als hätte sie sich für eine Schlacht gerüstet. Und sie hielt etwas in der Hand: ein flaches, in Plastik eingeschweißtes Päckchen. Es raschelte, als sie auf mich zukam.

«Wenn man sich liebt, will man miteinander schlafen», sagte sie und setzte sich neben mich auf das steinharte Sofa, «das ist nur natürlich.» Sie überreichte mir das Päckchen. «Ich möchte nicht, dass du einen falschen Eindruck von mir bekommst», sagte sie mit belegter, rauchiger Stimme. «Dass ich vorsichtig und zurückhaltend bin und es, na ja, so viel Schmutz auf der Welt gibt, heißt nicht, dass ich nicht auch leidenschaftlich sein kann. Das bin ich nämlich. Und ich liebe dich. Glaube ich.»

«Ja», sagte ich und umarmte sie. Das Päckchen hatte ich ganz vergessen.

We kissed. I rubbed the back of her neck, felt something strange, an odd sag and ripple, as if her skin had suddenly turned to Saran Wrap, and then she had her hand on my chest. "Wait," she breathed, "the, the thing."

I sat up. "Thing?"

The light was dim but I could see the blush invade her face now. She was sweet. Oh, she was sweet, my Little Em'ly, my Victorian princess. "It's Swedish," she said.

I looked down at the package in my lap. It was a clear, skinlike sheet of plastic, folded up in its transparent package like a heavy-duty garbage bag. I held it up to her huge, trembling eyes. A crazy idea darted in and out of my head. No, I thought.

"It's the newest thing," she said, the words coming in a rush, "the safest … I mean, nothing could possibly –"

My face was hot. "No," I said.

"It's a condom," she said, tears starting up in her eyes, "my doctor got them for me, they're … they're Swedish." Her face wrinkled up and she began to cry. "It's a condom," she sobbed, crying so hard the kimono fell open and I could see the outline of the thing against the swell of her nipples, "a full-body condom."

I was offended. I admit it. It wasn't so much her obsession with germs and contagion, but that she didn't trust me after all that time. I was clean. Quintessentially clean. I was a man of moderate

Wir küssten uns. Ich strich über ihren Nacken. Das fühlte sich sonderbar an, schlaff und faltig, als hätte ihre Haut sich mit einemmal in Plastikfolie verwandelt, und dann legte sie mir die Hand auf die Brust. «Warte», flüsterte sie, «das … das Ding.»

Ich setzte mich auf. «Das Ding?»

Das Licht war gedämpft, doch ich sah, dass sie abermals errötete. Sie war so süß. Ach, war sie süß, meine Kleine Em'ly, meine viktorianische Prinzessin! «Es kommt aus Schweden», sagte sie.

Ich musterte das Päckchen auf meinem Schoß. Es war eine durchsichtige, hautartige Plastikfolie, zusammengefaltet in einer transparenten Verpackung wie ein extra reißfester Müllsack. Ich hob sie hoch, vor Bredas große, bebende Augen. Ein verrückter Gedanke schoss mir durch den Kopf. Nein, dachte ich.

«Es ist das Neueste», stieß sie hervor und sprach jetzt ganz schnell, «das Sicherste … ich meine, es ist absolut –»

Mein Gesicht fühlte sich heiß an. «Nein», sagte ich.

«Es ist ein Kondom», sagte sie, und Tränen stiegen in ihre Augen. «Mein Arzt hat sie mir besorgt, sie sind … sie sind aus Schweden.» Sie verzog ihr Gesicht und begann zu weinen. «Es ist ein Kondom», schluchzte sie und weinte so haltlos, dass der Kimono sich öffnete und ich sah, wie das Ding sich über ihre Brustwarzen spannte, «ein Ganzkörperkondom.»

Ich war gekränkt. Das gebe ich zu. Es war nicht so sehr ihre obsessive Angst vor Keimen und Ansteckung, sondern eher die Tatsache, dass sie mir nach all der Zeit noch immer nicht traute. Ich war sauber. Ich war durch und durch sauber.

habits and good health, I changed my underwear and socks daily – sometimes twice a day – and I worked in an office, with clean, crisp, unequivocal numbers, managing my late father's chain of shoe stores (and he died cleanly himself, of a myocardial infarction, at seventy-five). "But Breda," I said, reaching out to console her and brushing her soft, plastic-clad breast in the process, "don't you trust me? Don't you believe in me? Don't you, don't you love me?" I took her by the shoulders, lifted her head, forced her to look me in the eye. "I'm clean," I said. "Trust me."

She looked away. "Do it for me," she said in her smallest voice, "if you really love me."

In the end, I did it. I looked at her, crying, crying for me, and I looked at the thin sheet of plastic clinging to her, and I did it. She helped me into the thing, poked two holes for my nostrils, zipped the plastic zipper up the back, and pulled it tight over my head. It fit like a wetsuit. And the whole thing – the stroking and the tenderness and the gentle yielding – was everything I'd hoped it would be.

Almost.

She called me from work the next day. I was playing with sales figures and thinking of her. "Hello," I said, practically cooing into the receiver.

"You've got to hear this." Her voice was giddy with excitement.

Meine Gewohnheiten waren von Mäßigkeit bestimmt, meine Gesundheit war gut, ich wechselte täglich – manchmal sogar zweimal täglich – Socken und Unterwäsche, und ich arbeitete in einem Büro mit frischen, sauberen, klaren Zahlen, denn ich hatte von meinem Vater (der seinerseits mit fünfundsiebzig einen sauberen Tod durch einen Myokardinfarkt gestorben war) die Leitung einer Kette von Schuhgeschäften übernommen. «Aber Breda», sagte ich und nahm sie in die Arme, um sie zu trösten und über ihre weiche, in Plastik verpackte Brust zu streichen, «vertraust du mir denn nicht? Glaubst du mir nicht? Oder … liebst du mich nicht?» Ich legte die Hände auf ihre Schultern, hob ihren Kopf und zwang sie, mir in die Augen zu sehen. «Ich bin sauber», sagte ich. «Vertrau mir.»

Sie wandte den Blick ab. «Wenn du mich wirklich liebst», sagte sie mit ganz kleiner Stimme, «dann tust du es für mich.»

Schließlich tat ich es. Ich sah sie an – sie weinte, sie weinte um mich –, und dann sah ich die dünne Plastikfolie an, die an ihr klebte, und dann tat ich es. Sie half mir hinein, machte zwei Atemlöcher für meine Nase, schloss den Reißverschluss auf dem Rücken und zog es mir fest über den Kopf. Es lag so dicht an wie ein Taucheranzug. Und alles andere – das Streicheln, die Zärtlichkeit, das sanfte Dahinschmelzen – war so, wie ich es mir erhofft hatte.

Beinahe.

Am nächsten Tag rief sie mich aus der Arbeit an. Ich spielte gerade mit Verkaufszahlen herum und dachte dabei an sie. «Hallo», sagte ich. Ich gurrte es praktisch in den Hörer.

«Das musst du dir anhören.» Ihre Stimme überschlug sich fast vor Aufregung.

"Hey," I said, cutting her off in a passionate whisper, "last night was really special."

"Oh, yes," she said, "yes, last night. It was. And I love you. I do ..." She paused to draw in her breath. "But listen to this: I just got a piece from a man and his wife living among the Tuareg of Nigeria – these are the people who follow cattle around, picking up the dung for their cooking fires?"

I made a small noise of awareness.

"Well, they make their huts of dung too – isn't that wild? And guess what – when times are hard, when the crops fail and the cattle can barely stand up, you know what they eat?"

"Let me guess," I said. "Dung?"

She let out a whoop. "Yes! Yes! Isn't it too much? They *eat* dung!"

I'd been saving one for her, a disease a doctor friend had told me about. "Onchocerciasis," I said. "You know it?"

There was a thrill in her voice. "Tell me."

"South America and Africa both. A fly bites you and lays its eggs in your bloodstream and when the eggs hatch, the larvae – these little white worms – migrate to your eyeballs, right underneath the membrane there, so you can see them wriggling around."

There was a silence on the other end of the line. "Breda?"

"That's sick," she said. "That's really sick."

But I thought –? I trailed off. "Sorry," I said.

"Listen," and the edge came back into her voice,

«Du», unterbrach ich sie in leidenschaftlichem Flüsterton, «gestern Abend, das war etwas ganz Besonderes.»

«Oh, ja», sagte sie, «ja, gestern Abend. Das war etwas Besonderes. Und ich liebe dich, ja, wirklich …» Sie hielt inne und holte Luft. «Aber das musst du dir anhören: Ich hab was von einem Mann gekriegt, der mit seiner Frau in Nigeria bei den Tuareg lebt – das sind diese Menschen, die mit ihrem Vieh durch die Gegend ziehen und den Dung aufsammeln, als Brennstoff für ihre Kochstellen.»

Ich brummte, um ihr zu zeigen, dass ich zuhörte.

«Also, sie bauen auch ihre Hütten aus Dung, ist das nicht verrückt? Und stell dir vor: Wenn die Zeiten hart sind, wenn es eine Missernte gibt und das Vieh kaum noch auf den Beinen stehen kann – weißt du, was sie dann essen?»

«Lass mich raten», sagte ich. «Dung?»

Sie stieß einen Jubelschrei aus. «Ja! Ja! Ist das nicht unglaublich? Sie *essen* Dung!»

Ich hatte mir etwas für sie aufgespart, eine Krankheit, von der ein befreundeter Arzt mir erzählt hatte. «Onchozerkose», sagte ich. «Schon mal davon gehört?»

Ihre Stimme klang erregt. «Erzähl.»

«Gibt's in Südamerika und Afrika. Eine Fliege sticht dich und legt ihre Eier ab. Aus denen schlüpfen Larven – diese kleinen weißen Würmer –, und die wandern zu den Augäpfeln. Da sind sie dann direkt unter der Bindehaut, so dass man sehen kann, wie sie da drinnen herumkriechen.»

Stille am anderen Ende.

«Breda?»

«Das ist widerlich», sagte sie. «Das ist richtig widerlich.»

Aber ich dachte … Ich sprach es nicht aus. «Entschuldigung», sagte ich.

«Hör mal», und in ihrer Stimme war wieder eine gewis-

"the reason I called is because I love you, I think I love you, and I want you to meet somebody."

"Sure," I said.

"I want you to meet Michael. Michael Maloney."

"Sure. Who's he?"

She hesitated, paused just a beat, as if she knew she was going too far. "My doctor," she said.

You have to work at love. You have to bend, make subtle adjustments, sacrifices – love is nothing without sacrifice. I went to Dr Maloney. Why not? I'd eaten tofu, bantered about leprosy and bilharziasis as if I were immune, and made love in a bag. If it made Breda happy – if it eased the nagging fears that ate at her day and night – then it was worth it.

The doctor's office was in Scarsdale, in his home, a two-tone mock Tudor with a winding drive and oaks as old as my grandfather's Chrysler. He was a young man – late thirties, I guessed – with a red beard, shaved head, and a pair of over-sized spectacles in clear plastic frames. He took me right away – the very day I called – and met me at the door himself. "Breda's told me about you," he said, leading me into the floodlit vault of his office. He looked at me appraisingly a moment, murmuring "Yes, yes" into his beard, and then, with the aid of his nurses, Miss Archibald and Miss Slivovitz, put me through a battery of tests that would have embarrassed an astronaut.

se Schärfe, «warum ich dich angerufen habe: Ich liebe dich, ich glaube, ich liebe dich, und ich möchte, dass du jemanden kennenlernst.»

«Klar», sagte ich.

«Ich möchte, dass du Michael kennenlernst. Michael Maloney.»

«Klar. Wer ist das?»

Sie zögerte, wenn auch nur ganz kurz – als wüsste sie, dass sie zu weit ging. «Mein Arzt», sagte sie.

An Liebe muss man arbeiten. Man muss sich fügen, kleine Anpassungen vornehmen, Opfer bringen – Liebe ist nichts ohne Opfer. Ich ging zu Dr. Maloney. Warum auch nicht? Ich hatte Tofu gegessen, Witze über Lepra und Bilharziose gerissen, als wäre ich immun, und in einer Mülltüte ge-vögelt. Wenn es Brenda glücklich machte, wenn es die Ängste beschwichtigte, die Tag und Nacht an ihr nagten, dann war es das wert.

Maloney hatte seine Praxis in Scarsdale, in seinem Haus, einem zweifarbigen Gebäude im Pseudotudorstil mit einer geschwungenen Auffahrt und Eichen, so alt wie der Chrysler meines Großvaters. Er war ein junger Mann – Ende dreißig, würde ich sagen – mit rotem Bart, rasiertem Schädel und einer großen Brille mit transparenter Kunst-stofffassung. Er gab mir sofort einen Termin – am selben Tag, an dem ich ihn angerufen hatte – und empfing mich an der Tür. «Breda hat mir von Ihnen erzählt», sagte er und führte mich in die hellerleuchteten Räumlichkeiten seiner Praxis. Er musterte mich für einen Augenblick, murmelte «Ja, ja» in seinen Bart und unterzog mich dann mit Hilfe seiner Helferinnen Miss Archibald und Miss Slivovitz einer ganzen Serie von Tests, die einen Astronauten in Verlegenheit gebracht hätten.

First, there were the measurements, including digital joints, maxilla, cranium, penis, and
earlobe. Next the rectal exam, the EEG and urine
sample. And then the tests. Stress tests, patch
tests, reflex tests, lung-capacity tests (I blew up
yellow balloons till they popped, then breathed
into a machine the size of a Hammond organ),
the X-rays, sperm count, and a closely printed,
twenty-four-page questionnaire that included
sections on dream analysis, genealogy, and logic
and reasoning. He drew blood too, of course – to
test vital-organ function and exposure to disease.
"We're testing for antibodies to over fifty diseases," he said, eyes dodging behind the walls of
his lenses. "You'd be surprised how many people
have been infected without even knowing it." I
couldn't tell if he was joking or not. On the way
out he took my arm and told me he'd have the
results in a week.

That week was the happiest of my life. I was
with Breda every night, and over the weekend
we drove up to Vermont to stay at a hygiene
center her cousin had told her about. We dined
by candlelight – on real food – and afterward we
donned the Saran Wrap suits and made joyous,
sanitary love. I wanted more, of course – the
touch of skin on skin – but I was fulfilled and
I was happy. Go slow, I told myself. All things
in time. One night, as we lay entwined in the
big white fortress of her bed, I stripped back the
hood of the plastic suit and asked her if she'd
ever trust me enough to make love in the way of

Zunächst wurde ich vermessen, einschließlich der Finger-
gelenke, des Oberkiefers, des Schädels, des Penis und der
Ohrläppchen. Dann kamen die Rektaluntersuchung, das
EEG und die Urinprobe. Und dann die Tests. Belastungstest,
Epikutantest, Reflextest, Vitalkapazitätstest (ich blies in
gelbe Ballons, bis sie platzten, und dann in eine Maschine,
so groß wie eine Hammondorgel) und anschließend Rönt-
gen, Spermienzählung und ein engbedruckter Fragebogen
von vierundzwanzig Seiten mit Abschnitten über Träume,
Abstammung, Logik und Urteilsvermögen. Natürlich nahm
man mir auch Blut ab, um sich ein Bild von der Funktion
lebenswichtiger Organe zu machen und frühere Erkran-
kungen festzustellen. «Wir suchen nach Antikörpern gegen
über fünfzig Krankheiten», sagte Dr. Maloney, und seine
Augen verschanzten sich hinter der Brille. «Sie würden
sich wundern, wie viele Menschen Infektionen haben,
von denen sie gar nichts ahnen.» Ich wusste nicht, ob das
ein Witz sein sollte. Als er mich zur Tür brachte, nahm
er meinen Arm und sagte, er werde die Resultate in einer
Woche haben.

Diese Woche war die glücklichste meines Lebens. Ich ver-
brachte jede Nacht bei Breda, und am Wochenende fuhren
wir nach Vermont, zu einem Hygienecenter, von dem ihr
eine Cousine erzählt hatte. Wir aßen bei Kerzenlicht zu
Abend – richtiges Essen –, und danach zogen wir unsere
Frischhaltefolien über und liebten uns froh und keimfrei.
Ich wollte natürlich mehr – das Gefühl von Haut auf Haut –,
aber ich war erfüllt und glücklich. Schön langsam, sagte
ich mir. Alles zu seiner Zeit. Eines Abends, als wir um-
schlungen auf dem großen weißen Bollwerk ihres Betts lagen, streifte ich das Kopfteil des Plastikanzugs ab und fragte
sie, ob sie wohl je so viel Vertrauen zu mir haben werde,

the centuries, raw and unprotected. She twisted free of her own wrapping and looked away, giving me that matchless patrician profile. "Yes," she said, her voice pitched low, "yes, of course. Once the results are in."

"Results?"

She turned to me, her eyes searching mine. "Don't tell me you've forgotten?"

I had. Carried away, intense, passionate, brimming with love, I'd forgotten.

"Silly you," she murmured, tracing the line of my lips with a slim, plastic-clad finger. "Does the name Michael Maloney ring a bell?"

And then the roof fell in.

I called and there was no answer. I tried her at work and her secretary said she was out. I left messages. She never called back. It was as if we'd never known one another, as if I were a stranger, a door-to-door salesman, a beggar on the street.

I took up a vigil in front of her house. For a solid week I sat in my parked car and watched the door with all the fanatic devotion of a pilgrim at a shrine. Nothing. She neither came nor went. I rang the phone off the hook, interrogated her friends, haunted the elevator, the hallway, and the reception room at her office. She'd disappeared.

Finally, in desperation, I called her cousin in Larchmont. I'd met her once – she was a homely, droopy-sweatered, baleful-looking girl who represented everything gone wrong in the genes

dass wir uns auf die jahrhundertealte Art lieben könnten, nackt und ungeschützt. Sie legte ebenfalls ihr Gesicht frei und zeigte mir ihr unvergleichliches patrizisches Profil. «Ja», sagte sie leise, «ja, natürlich. Sobald die Resultate da sind.»

«Resultate?»

Sie wandte sich zu mir und sah mir forschend in die Augen. «Sag bloß nicht, das hast du vergessen.»

Ich hatte es vergessen. Hingerissen von Intensität und Leidenschaft, erfüllt von Liebe, hatte ich es vergessen.

«Mein Dummerchen», murmelte sie und folgte mit der zarten, plastikummantelten Fingerspitze den Konturen meiner Lippen. «Sagt dir der Name Michael Maloney was?»

Und dann brach alles über mir zusammen.

Ich rief sie an, aber sie hob nicht ab. Ich rief in der Redaktion an, und ihre Sekretärin sagte, sie sei nicht da. Ich hinterließ Nachrichten. Sie rief nie zurück. Es war, als würden wir uns gar nicht kennen, als wäre ich ein Vertreter, ein Straßenbettler.

Ich postierte mich vor ihrem Haus. Eine ganze Woche lang saß ich in meinem Wagen und behielt mit der fanatischen Hingabe eines Pilgers an einem Schrein ihre Tür im Auge. Nichts. Sie kam nicht, sie ging nicht. Ich ließ das Telefon bis zum Besetztzeichen läuten, befragte ihre Freundinnen, suchte die Fahrstühle, die Korridore, den Empfangsbereich ihrer Redaktion heim. Sie blieb verschwunden.

Schließlich rief ich in meiner Verzweiflung ihre Cousine in Larchmont an. Ich hatte sie ein einziges Mal getroffen – sie war eine unansehnliche Frau mit schlabberigem Pullover und finsterem Blick, bei der genetisch all

that had come to such glorious fruition in Breda – and barely knew what to say to her. I'd made up a speech, something about how my mother was dying in Phoenix, the business was on the rocks, I was drinking too much and dwelling on thoughts of suicide, destruction, and final judgment, and I had to talk to Breda just one more time before the end, and did she by any chance know where she was? As it turned out, I didn't need the speech. Breda answered the phone.

"Breda, it's me," I choked. "I've been going crazy looking for you."

Silence.

"Breda, what's wrong? Didn't you get my messages?"

Her voice was halting, distant. "I can't see you anymore," she said.

"Can't see me?" I was stunned, hurt, angry. "What do you mean?"

"All those feet," she said.

"Feet?" It took me a minute to realize she was talking about the shoe business. "But I don't deal with anybody's feet – I work in an office. Like you. With air-conditioning and sealed windows. I haven't touched a foot since I was sixteen."

"Athlete's foot," she said. "Psoriasis. Eczema. Jungle rot."

"What is it? The physical?" My voice cracked with outrage. "Did I flunk the damn physical? Is that it?"

She wouldn't answer me.

das schiefgegangen war, was in Breda so hohe Vollendung erlangt hatte – und ich wusste eigentlich nicht, was ich zu ihr sagen sollte. Ich hatte mir eine Rede zurechtgelegt: meine Mutter liege in Phoenix im Sterben, die Firma sei praktisch pleite, ich tränke zuviel und dächte ständig über Selbstmord, Zerstörung und das Jüngste Gericht nach und müsse, bevor alles vorbei sei, noch ein letztes Mal mit Breda sprechen – ob sie vielleicht wisse, wo sie sei. Wie sich herausstellte, musste ich diese Rede gar nicht halten: Breda war am Apparat.

«Breda, ich bin's», stieß ich hervor. «Ich hab wie verrückt nach dir gesucht.»

Schweigen.

«Breda, was ist los? Hast du meine Nachrichten nicht gekriegt?»

Sie sprach stockend, und ihre Stimme klang wie aus weiter Ferne. «Wir können uns nicht mehr sehen», sagte sie.

«Wir können uns nicht mehr sehen?» Ich war wie vor den Kopf geschlagen, verletzt, wütend. «Was soll das heißen?»

«All diese Füße», sagte sie.

«Füße?» Es dauerte einen Augenblick, bis ich merkte, dass sie von dem Schuhgeschäft sprach. «Aber ich habe überhaupt nichts mit irgendwelchen Füßen zu tun. Ich arbeite in einem Büro. Wie du. Mit Klimaanlage und verschlossenen Fenstern. Ich habe keinen fremden Fuß angefasst, seit ich sechzehn war.»

«Fußpilz», sagte sie. «Schuppenflechte. Ekzeme. Leishmaniose.»

«Worum geht es wirklich? Die Untersuchung?» Meine Stimme war heiser vor Empörung. «Ich bin bei dieser verdammten Untersuchung durchgefallen, stimmt's?»

Sie gab keine Antwort.

A chill went through me. "What did he say? What did the son of a bitch say?"

There was a distant ticking over the line, the pulse of time and space, the gentle sway of Bell Telephone's hundred million miles of wire.

"Listen," I pleaded, "see me one more time, just once — that's all I ask. We'll talk it over. We could go on a picnic. In the park. We could spread a blanket and, and we could sit on opposite corners —"

"Lyme disease," she said.

"Lyme disease?"

"Spread by tick bite. They're seething in the grass. You get Bell's palsy, meningitis, the lining of your brain swells up like dough."

"Rockefeller Center then," I said. "By the fountain."

Her voice was dead. "Pigeons," she said. "They're like flying rats."

"Helmut's. We can meet at Helmut's. Please. I love you."

"I'm sorry."

"Breda, please listen to me. We were so close —"

"Yes," she said, "we were close," and I thought of that first night in her apartment, the boy in the bubble and the Saran Wrap suit, thought of the whole dizzy spectacle of our romance till her voice came down like a hammer on the refrain, "but not that close."

Ein kalter Schauer überlief mich. «Was hat er gesagt? Was hat der Scheißkerl gesagt?»

In der Leitung war nur ein leises Ticken zu hören, das Pulsieren von Zeit und Raum, das leise Schwingen der hundert Millionen Meilen Draht der Bell Telephone Company.

«Hör zu», bettelte ich, «wir müssen uns noch einmal sehen, ein einziges Mal – das ist alles, was ich will. Wir sprechen darüber. Wir könnten ein Picknick machen, im Park. Wir breiten eine große Decke aus, wir setzen uns auf gegenüberliegende Ecken –»

«Borreliose», sagte sie.

«Borreliose?»

«Wird durch Zeckenbisse übertragen. Im Gras wimmelt es davon. Man kriegt Fazialisparese, Meningitis, die Hirnhaut geht auf wie ein Hefeteig.»

«Dann am Rockefeller Center», sagte ich. «Am Brunnen.»

Ihre Stimme war tonlos. «Tauben», sagte sie. «Die sind wie fliegende Ratten.»

«Bei Helmut. Wir könnten uns im Eiscafé treffen. Bitte. Ich liebe dich.»

«Tut mir leid.»

«Breda, bitte hör mich an. Wir waren uns doch so nah –»

«Ja», sagte sie, «wir waren uns nah», und ich dachte an jene erste Nacht in ihrer Wohnung, an den Jungen im Plastikanzug und das Ganzkörperkondom, ich dachte an das ganze wirre Spektakel unserer Beziehung, als ihre Stimme mit der Wucht eines Hammers den Nachsatz sagte: «Aber so nah nun auch wieder nicht.»

Bio-bibliographische Notizen

KINGSLEY AMIS, Romanschriftsteller, Dichter und Kritiker, kam 1922 in London zur Welt. Er wird oft mit den «Angry Young Men» der 1950er Jahre (John Osborne, Arnold Wesker, Alan Sillitoe u.a.) in Verbindung gebracht, da er in seinen jungen Jahren wie diese gegen das verkrustete britische Establishment rebellierte; später war seine Kritik an der modernen Gesellschaft eher konservativ, jedoch nicht weniger witzig und bissig. Gleich mit seinem ersten Roman, ‹Lucky Jim› (1954), erzielte Amis einen großen Erfolg. Ihm folgten rund zwanzig weitere Romane sowie Sammlungen von Kurzgeschichten und Gedichten, kritische Schriften und anderes. Für ‹The Old Devils› erhielt er 1980 den renommierten Booker Prize. 1990 wurde er in den Adelsstand erhoben. Amis zählt zu den besten humoristischen britischen Autoren in der zweiten Hälfte des 20. Jahrhunderts. Er starb 1995.
‹Interesting Things› aus: My Enemy's Enemy, London 1963
Übersetzung von Harald Raykowski

CLARE BOYLAN wurde 1948 in Dublin geboren und lebte vorwiegend im County Wicklow, wo sie 2006 starb. Sie schrieb sieben Romane (u.a. ‹Holy Pictures›, 1983; ‹Last Resorts›, 1986; ‹Black Baby›, 1988; ‹Home Rule›, 1992) und eine große Zahl von Kurzgeschichten, die gesammelt als ‹A Nail on the Head› (1983), ‹Concerning Virgins› (1989) und ‹That Bad Woman› (1995) erschienen und zum Teil auch in deutscher Übersetzung vorliegen. Der Film ‹Making Waves›, der auf einer ihrer Geschichten basiert, wurde 1988 für den Oscar als bester Kurzfilm nominiert. 2003 erntete sie großen Beifall für ‹Emma Brown›, ihre Bearbeitung eines Romanfragments von Charlotte Brontë. Für ihr erzählerisches Werk erhielt Boylan mehrere Auszeichnungen.
‹The Stolen Child› aus: Writing on the Wall, London 1993
Übersetzung von Harald Raykowski

T. Coraghessan Boyle, 1948 im US-Staat New York geboren, ist der Verfasser von bislang zwanzig Romanen und vielen Kurzgeschichten, die in zwei Dutzend Sprachen übersetzt worden sind und für die er zahlreiche Literaturpreise erhalten hat. Mehrere seiner Bücher sind bei <u>dtv</u> erschienen. Sein erster Roman, ‹Water Music›, kam 1981 heraus; ihm folgten u. a. ‹World's End› (1987), ‹The Road to Wellville› (1993), ‹The Tortilla Curtain› (1995), ‹Drop City› (2003), ‹Talk Talk› (2006) und zuletzt ‹The Women› (2009). Seine Kurzgeschichten liegen in mehreren Sammelbänden vor. Boyle ist ein Meister der Ironie, und Einfallsreichtum, Humor und Sprachwitz kennzeichnen alle seine Werke.

‹Modern Love› aus: If the River Was Whiskey. London 1989
© 1989 T. Coraghessan Boyle, Lizenz durch Mohrbooks AG Literary Agency, Zürich
‹Moderne Liebe› aus: Wenn der Fluss voll Whiskey wär. Aus dem Amerikanischen von Dirk van Gunsteren, München 2010.
© 2010 Carl Hanser Verlag, München

Andrew Davies kam 1936 im walisischen Cardiff zur Welt. Er war eine Zeitlang Dozent für englische Literatur, bevor er sich ganz dem Schreiben zuwandte. Von ihm stammen die Skripte zahlreicher Fernsehfilme sowie erfolgreicher Literaturadaptionen für Kino und Fernsehen, darunter ‹Pride and Prejudice› (1995), ‹Bridget Jones› (2001/2004), ‹Brideshead Revisited› (2008) und ‹Sense and Sensibility› (2008). Außerdem ist er Autor von mehreren Kinderbüchern sowie von drei Romanen und einer Sammlung von Kurzgeschichten (‹Dirty Faxes›, 1990).

‹The New Baboon› aus: Dirty Faxes, London 1990
© 1990 Andrew Davies. First published in the UK by Methuen London
Übersetzung von Harald Raykowski

Dorothy Parker, 1893 im amerikanischen Bundesstaat New Jersey geboren, gehörte seit der Gründung des literarisch-humoristischen Magazins ‹The New Yorker› im Jahre 1925 zu dessen Redaktion. Sie veröffentlichte regelmäßig witzige Gedichte, in denen sie mit spitzer Feder die Torheiten der modernen Großstädter aufspießte, sowie Kritiken und Kurzgeschichten. Für ihre Erzählung ‹Big Blond› erhielt sie 1929 den O. Henry-Award. In den 1930er- und 40er-Jahren lebte sie

in Hollywood und schrieb Drehbücher, bis sie 1950 in der McCarthy-Ära wegen ihres politischen Engagements in den Verdacht «unamerikanischer Umtriebe» geriet. Sie zog zurück nach New York, wo sie ein mäßig erfolgreiches Bühnenstück schrieb und sich vor allem mit Buchrezensionen über Wasser hielt. Sie starb 1967.

‹The Waltz› (zuerst 1933) aus: The Portable Dorothy Parker, New York 2006
© 1973 National Association for the Advancement of Colored People, Lizenz durch Mohrbooks AG Literary Agency, Zürich
‹Der Walzer› aus: New Yorker Geschichten. Aus dem Amerikanischen von Ursula-Maria Mössner, Zürich 2003
© 2003 Kein & Aber AG, Zürich

SAKI war das Pseudonym, unter dem Hector Hugh Munro (1870–1916) schrieb. Er veröffentlichte ein Theaterstück und mehrere Romane, aber am bekanntesten sind seine meisterhaften Kurzgeschichten, in denen er die Schwächen der englischen Gesellschaft der Zeit vor dem Ersten Weltkrieg satirisch entlarvt. Sein eleganter, leicht preziöser Stil geht einher mit einem beißenden, nicht selten grausamen Witz. Kinder stellt er häufig als Opfer der Pedanterie und Strenge der Erwachsenen dar, und wenn sie gegen ihre Erziehungsberechtigten rebellieren, haben sie seine ganze Sympathie. In mancher Hinsicht stehen Sakis Erzählungen dem Werk Lewis Carrolls nahe, mit dem ihn auch eine Neigung zum Surrealen verbindet.

‹The Story-Teller› aus: The Complete Short Stories, London 1930
Übersetzung von Harald Raykowski

EVELYN WAUGH (1903–1966) machte sich mit dem grotesken, oft schwarzen Humor seiner frühen Romane, darunter ‹Decline and Fall› (1928), ‹Vile Bodies› (1930), ‹Black Mischief› (1932) und ‹Scoop› (1937) einen Namen als Satiriker, der die Absurditäten der englischen Gesellschaft und vor allem der Oberschicht bloßstellt. Spätere Romane, darunter ‹Brideshead Revisited› (1945), der erfolgreich verfilmt wurde, sind ernster im Ton, und während auch sie im adligen Milieu spielen, zeigt Waugh hier große Sympathie für diese Kreise, was ihm den Vorwurf des Snobismus eingetragen hat. Die Kurzgeschichtensammlung ‹Mr Loveday's Little Outing, and Other Sad Stories›, der die Erzählung in diesem Band entnommen ist, erschien 1936; weitere Bände mit Kurz-

geschichten folgten. Ein anderes Genre, zu dem Waugh mehrere Werke beigetragen hat, ist der Reisebericht. 1944 schrieb der amerikanische Kritiker Edmund Wilson, Waugh sei das größte humoristische Talent englischer Sprache seit Bernard Shaw.

‹Mr Loveday's Little Outing› aus: Work Suspended and Other Stories, London 1949

Übersetzung von Harald Raykowski